U0114179

大海的印記：賢度法師傳

賢度法師——口述
鄭栗兒——著

位於台北市濟南路的華嚴蓮社，二樓最吉祥殿是學生、住眾早晚功課，以及蓮友們共修的殿堂。

為了道場及學院整體學術水平的提升，賢度法師效法五地菩薩，學五明利生精神，遠赴印度德里大學攻讀博士學位。

賢度法師
華嚴著作集

賢度法師簡歷

賢度法師，內號了行，別號思齊，師承上成下一長老，畢業於印度德里大學哲學博士，專研華嚴經論，專修普賢行及法界觀，並恆持準提法門為日課，以華嚴行者為終身職志。現任台北市佛教會常務理事、華嚴專宗學院院長暨研究所所長、台北市華嚴蓮社董事長、美國華嚴蓮社董事長、智光商工職業學校董事長。自1994年任華嚴蓮社住持以來，即竭力推行弘法、教育、文化、慈善工作，2009年任華嚴蓮社董事長尤重僧伽教育，積極培養專研、專修、專弘華嚴之專精人才，並且致力於推展華嚴教學研究國際化的工作。為令華嚴法化更有效的推廣，特別編著華嚴教材系列叢書，將卷帙浩瀚、深廣微妙的華嚴義理，以有系統且易懂的文字敘述，讓普羅大眾皆能見聞大經之義涵、品嚐清涼甘露之法味。2014成立國際華嚴研究中心結合海內外志同道合的專業研究者，有組織、有計畫地推展華嚴研究，讓華嚴成為二十一世紀的顯學，並培養年輕一代的研究人才，以承先啟後，續佛慧命。

【現有著作】

1. 華嚴學講義
2. 轉法輪集（一）、（二）
3. 佛教的制度與儀軌
4. 觀音法門
5. 華嚴淨土思想與念佛法門
6. 華嚴學專題研究
7. 入法界品 - 善財童子五十三參的故事畫冊
8. 華嚴經十地品淺釋（上、下冊）
9. 華嚴經講錄（一）（世主妙嚴品）
10. 華嚴經講錄（二）（如來現相品、普賢三昧品）
11. 華嚴經講錄（三）（世界成就品、華藏世界品、毗盧遮那品）
12. 華嚴經講錄（四）（如來名號品、四聖諦品、光明覺品）
13. 華嚴經講錄（五）（菩薩問明品、淨行品、賢首品）
14. 華嚴經講錄（六）（升須彌山頂品、須彌頂上偈讚品、十住品、梵行品）
15. 華嚴經講錄（七）（初發心功德品、明法品）
16. Development Of the Hua-yen School During The Tang Dynasty

本專案為台北市華嚴蓮社委託法鼓文理學院圖書資訊館數位典藏組建置，由華

專案執行期間：2013年10月至2018年12月。

合作團隊

改革之路隨著時代的腳步而改變，賢度法師將其華嚴著作編輯製作為電子書，運用科技發揮道場弘化，以達醒世利人的意義。

《TIME》時代雜誌在九一一事件後，為了化解族群對立，促進和諧，舉辦 True Family Values週末早餐祈禱會，邀請世界不同宗教團體參與，賢度法師代表佛教團體出席。

台北華嚴蓮社在美國加州米爾必達市的分院美國華嚴蓮社。

二〇〇九年四月五日，成一和尚將美國華嚴蓮社董事長職務交給賢度法師，由米爾必達市Pete Chugh市長監交印信。

成一長老與大陸佛教協會會長趙樸初居士見面，討論泰州光孝律寺的恢復工作。

一九九七年祖庭觀音禪寺復建落成。賢度法師受群眾喜愛，包圍合影。

江蘇海安營溪觀音禪寺。

江蘇泰州光孝律寺。

象徵華嚴大學精神的法界學院今日全貌。

賢度法師應邀至奧地利宣講華嚴要義，為佛塔主持開光灑淨儀式。

二〇一一年十月二十七至二十八日，賢度法師參與新加坡管理大學主辦的廉鳳講座，受邀發表〈探索婆羅浮屠佛塔與華嚴經的連結〉論文。

二〇〇九年賢度法師擔任台北華嚴蓮社第三任董事長，承繼成一長老風範，由淨良理事長監交印信。

華嚴蓮社於宜蘭員山鄉分社海印道場之規劃圖。

【推薦語】

文—李志夫（中華佛學研究所榮譽所長）

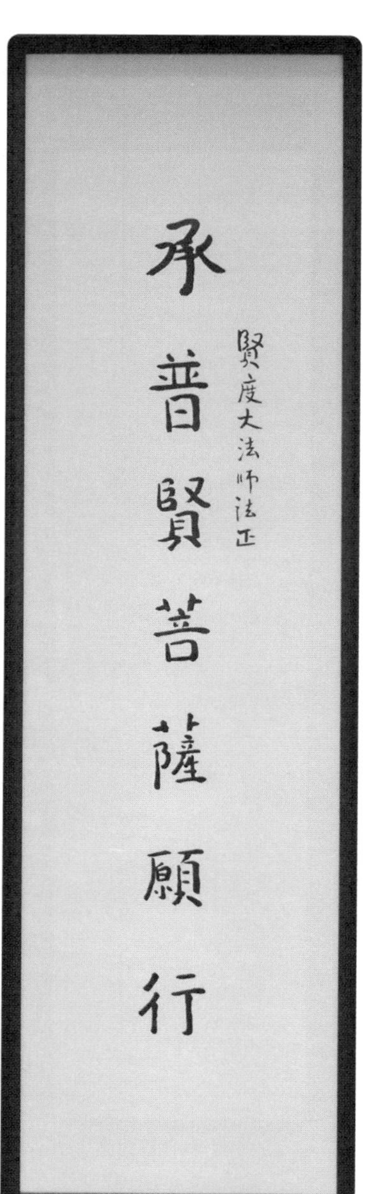

【推薦語】

大海印之，賢以度之——我讀《大海的印記》

文—高柏園（淡江大學中國文學學系專任教授）

讀其書不知其人，可乎？蓋古人知行合一，身心不二，是以其人即其行，其行即其言，其言即其書。本書以《大海的印記》為名，正是以佛之「海印三昧」為本，所謂德行無量如海，以心印之，以法記之，此即賢度法師平生所示現之理境也。

既是佛子，當以佛法為教，是以本書以「華嚴十地」為篇名，以「歡喜」為首，用「法雲」為結，既承釋迦佛陀之教誨，亦示賢度法師之行誼，有傳有承，有啟有發，可謂妙述。既是妙述，其妙又不止於與佛之緣深，更在賢度法師生平所顯之種種不可思議。所謂「華嚴宗女性傳承者」，即是此中不可思議之最！

相由心生，隨緣應機而起，乃可有而不必執者也。然今現女相而承華嚴法脈，對內重建華嚴蓮社煌煌之威儀，恢復祖庭法輪之常轉；對外以賢智寰宇演法，以華嚴隨順眾生，更以海印道場之修建為華嚴之大法業，凡此豈非諸佛慈佑之不可思議者乎？

賢度法師與我曾有共學之緣，法師宿慧深厚，勇猛精進，慈悲善巧，真佛門之龍象也。猶記昔日共同受教於成一長老、聖嚴長老與李志夫教授的場景，仍歷歷在目，如昨日然。今有幸拜讀《大海的印記》，字字珠璣，受益匪淺，不敢藏私，願與讀者諸君同體法味，共享佳作，特此鄭重推薦。

二〇二一年八月十九日於淡水野人居

【自序】

我是誰？我是一個菩薩行者。專研專修專弘華嚴的菩薩行者！

文─賢度法師

我用了一甲子的時間才真正了解「我是誰」。這跟禪宗劈頭就問「你是誰」相較下，修行這堂課已經給我足夠的時間了。

華嚴的菩薩行者，就是依《華嚴經》的教法修學，如何從輪迴生死的凡夫，發菩提心，斷除煩惱，修集善根，淨治五十二個階位的菩薩道，而完成佛果的實踐者。〈十地品〉是《華嚴經》的核心思想，是影響無數佛教徒，立志成為菩薩，成就菩薩道的重要指引，十地行法也是我終生奉行，追隨效法的理想。菩薩行者要奉獻生命，不斷努力，在自利利他的功業，積累無量的福智，教化安立眾生，造福國家社會，達到醒世濟眾的作用。

按照星座來講，我是水瓶座，一個富有創造力且擁有自己內在宇宙的星座，熱愛自由，也熱愛沉思，永遠想為這個世界創造些什麼。我似乎具備了水瓶座很多的特質。遺憾的是我出生在一個傳統的年代，一些被視為無稽之談的人生觀，修行理想是被限制的。處於這樣的年代，使我潛伏的叛逆也被壓抑，很長一段時間我近乎自閉。直到新時代、新思想進入我們的生活，人們的思維隨著時代的進展而更開放，佛法也在先賢的努力下，超脫固有模式，融合現代多元文化的豐富性，邏輯化的佛學理論可顯出活潑、奔放的一面，所有的認知都在解構，朝向全新的數位整合。

然而，當今世界面臨前所未有的浩劫，天災人禍一波未平一波又起。種種環境及種族對立問題，讓各宗教結合起來，各個山門有積極的共識，如何去化解人類世界的苦難，是所有宗教徒與非宗教徒共同的課題，這也是我希望能看到的：人類意識的覺醒，放下小我，一起為未來努力。期望關懷地球永續發展，共存共榮的遠景，在乾涸已久的土地冒出新苗。佛法要為世人帶來的啟示也是立足於「自性善根的增長」及「靈性智慧的提升」，等視一切生命為無法切割的共同體，這必須以慈悲心與善願力，生生世世去實際履踐。

世尊在成道的第二七日於「海印三昧」中，一時頓演了七處九會的大法，並將他自己在三大阿僧祇劫的修行過程，經由海印三昧投影出來，成為《華嚴經》最重要的精髓。所謂的海印三昧，是形容大海森羅萬象的各種變化，也是成佛之道的比喻。

如本書文中所說：「我們生命旅程的每一個印記，說來無非就是大海中的各種變化，最後總是無常中讓我們領悟恆常，生命每一足跡都是修練，都是心的煉金術。」我在華嚴鑽研多年，也是透過一次次的生命實驗，去改變了我的命運，修掉了我的稜角，消融了積鬱的煩惱和習性，所謂聞、思、修入三摩地，戒、定、慧成三無漏學。整個過程就像是寫好的劇本，每個角色、每個場景都安排巧妙，真應了「人生如戲」這句話。

我的出生，我的童年，甚至我的青年，家中發生的所有故事更是如戲一般。出生那天，哥哥生病住院，父親忙著照顧他，家中無人，竟遭小偷洗劫一空，只剩下一只澡盆，讓母親幫剛出生的我好好洗個澡，迎接這個世界。四大皆空的徵兆在我一出生時似乎就注定了。

我從小就喜歡沉思，一個小孩整晚不睡覺，眼睛直盯著天花板，我那時可能在想，我怎麼來到這個星球？我的童年充滿各種苦難，難以細說，從小我渴望自由，渴望選擇自己要過的生活，但似乎被困在小小的「家」之中，被無形的命運之輪帶著走。我一直覺得我可能是從一個遙遠的時空，因為GPS定位出了問題，才會誤入到這個世間，常有想去深山找神仙學修練，找到回去我原來地方的方法，這種衝動很深刻。

我母親為了長兄的身體可說三天兩頭就去求神拜佛，我也跟著拿香就拜，不管大小宮廟，我相信神明很早就認識我，冥冥中也都護佑著我。少年的我進出教會，和神父、修女打成一片，寧靜的教堂為我提供一個靈魂的休憩站。後來，因為學護理而到天主教學校讀書，教導的醫生、護士都是義大利籍神父、修女，我跟他們學習對貧苦者的無私施捨、奉獻與大愛。在那段白衣天使的日子，年輕的我也看遍了生老病死的真相，並未因職業感到麻木，反而對生命存在的價值更迫不及待地想尋找出路。

學佛後才明白，人的一生除了來嘗受各種生命滋味，身為菩薩道的行者，更是要超越痛苦，培養自己事事無礙的歡喜心，不是來追求人生的幸福而已，而是實踐菩薩的願心和願行，完成一世世的生命試煉。我一再說過：「我的人生不能糊里糊塗，每一刻都要很清明。」我要很清楚我的生命目標，切實前進。

感謝〈普賢行願品〉在我生命遇到瓶頸時對我的提示。當我讀到「若此惡業有體相者，盡虛空界不能容受」，種種的過去情節，如全息投影一一放映，我想：「所有的惡業都是要承受果報的。」所以我生起一股強大決心，這一生一定要努力消業，修行是不能再等。我很幸運遇上明師的帶領，成為我人生的轉變契機，感謝恩師慈悲接納我，度我、教我、育我、造就我，讓我踏上蛻變的修行之路，進而學習華嚴奧義，也學習一步一腳印地認真實踐，成為名符其實的華嚴菩薩行者。

我的出家學佛經歷，經過正統的僧團生活、佛學院培養僧才的模式而完成的，所以沒走過任何冤枉路。首先進入僧團建立僧格，受持戒律；五年學戒後，再透過經教修學，法門受持；之後完成學業，達到華嚴專宗的定位，建立信心。從學業研修，再受法成為法系人，經過上座講經說法的種種考驗，蓮社為僧人教育及法系傳承的嚴格培養及要求，比起其他道場門檻高出許多。

我自認為是一個很聽話的學生，不論是師父傳授的法門教義、日常的教誨、交代的任務，我都心甘情願地去接受，毫不猶豫地使命必達。所以我很能把握每時每刻，專注在每一個課題。對《華嚴經》的菩薩行法也深信不疑，看懂了就去實踐，而且是捨我其誰、當仁不讓地去執行，所以內心常保平靜，沒什麼煩惱欲望。

經歷了人生的各種起伏，看盡了人間百態，生命累積下來的磨練，使我擁有比一般人更堅強的韌性跟耐力，可以承受不同境遇的考驗，讓自己安然度過不同階段。《華嚴經》教會我用平等無分別的智慧去面對世間的一切，養成觀機逗教的能力，協助遭遇困難的人找到解決的辦法，使迷惘的社會大眾找到生命的方向、價值與定位，能夠安身立命。

很幸運，我不需擔心將來，也不需預設未來的繼承人，華嚴蓮社的制度化，和傳統的子孫道場有很大區別。當然，要成為蓮社的當家、住持，除了要有華嚴專業，更要經歷行政事務、道場弘化的歷練。蓮社是法人組織，當家、住持以上都要經過董事會選賢與能，而且有任期制，所以不會發生爭議。

我也要感謝我的父母和家人，在我離家修行的這段日子，給予我充分的信任與支持，讓我沒有後顧之憂；也要感恩蓮社及海內外僧信二眾，長年以來默默地護持與陪伴，成為我最堅強的後盾，讓我一路走來不曾孤單。

知名作家鄭栗兒定位這本書：「不僅是華嚴宗女性傳承者——賢度法師的證道歷程，更是那些菩薩教會我的事——十地菩薩所教導的智慧，於她六十歲月的步步行旅中逐一顯化示現。而賢度法師以其純真之心，不斷從每次的困難障礙，乃至生死關卡中突破蛻變，找到屬於自己的一雙菩提之翅。期待透過賢度法師的生命故事，帶給我們啟發，也給予同在道上的菩薩們一份鼓舞：加油、加油，讓我們一起前進，一起飛行在此岸與彼岸。在在處處，時時刻刻，菩薩無所不在守護一切，因為我們就是菩薩。」至於是否能達到這樣的效果，我以讀者的角度來說，覺得還滿精采的，歡迎各位指教，希望你們都能喜歡這本書。

我跟栗兒打趣地說：「寫完這十章，清楚交代這一生，我就可以蓋棺論定了！」

事實上這不是消極的論調，生命存在的意義不在長短。現在醫藥發達，科技進步，人類可以想盡辦法，讓自己長命百歲，但如果帶著老化的身軀，無法對世間有所助益，就是一種消耗，每位學佛的人都應該早早做好打算。若有餘命，我會繼續當學生，不論是世法、出世法，世間的五明知識技藝，都會學習，將來會嘗試用不同的文化方式推廣華嚴，用藝術賞析華嚴。

至於對往生後的期望，不需設定去東方還是西方淨土。對我來說，一遍又一遍地閱讀華嚴，實踐華嚴，每次都有更深一層的體悟，出現法喜輕安，忘記物我的存在，並生出無量的智慧善根，這就是莫大的快樂。這種三摩地會與我同在，優遊在廣闊無際的華藏世界海。

二〇二一年八月一日於台北華嚴蓮社

目次

【前言】

從龍樹菩薩的發現說起

文——鄭栗兒

「我們的悲心與智慧都是本具的，但那些波濤洶湧的心念如何停歇，是很重要的。比如第八阿賴耶識，含藏一切諸法之種子，一種下去，是無法清理的，但可以不讓助緣相應。因此掌握現緣，築起火牆，讓果不起作用，甚至果在因前，就是菩薩修行的工夫了。」

談述過往故事的賢度法師，給年少的自己不斷思索命運流轉命題，提出如此的洞見，而這也是一生深入的《華嚴經》教導她的。《華嚴經》所敘說的內容既龐大又華麗，像是一則則迷人的聖境宇宙導覽。

那年，龍樹菩薩為求大乘佛教經典，來到龍宮探尋佛法的最高奧祕，他打開了如花朵嚴飾般美麗純淨大、方、廣的法界宇宙，彷若一幅永恆的曼陀羅，為後人揭曉另一個燦爛和諧的諸佛菩薩世界。龍樹菩薩在龍宮取回的大乘經典，正是堪稱佛經中最高祕笈，亦即亙古不朽的《華嚴經》，流傳給後世學佛者成佛的嚮往，以及修行之路的朝聖地圖。其所描述大乘菩薩行者從初發菩提心到修行圓滿成佛的階位，共分五十二級，其中在第二十六品的〈十地品〉，更是影響無數佛教徒立志成為菩薩、成就菩薩道的重要指引。

第二十六品〈十地品〉的說法背景，是佛陀正在欲界他化自在天宮中的摩尼寶殿上，與諸多安住無上正等正覺而不再退轉的大菩薩們聚會，藉由佛陀威神力的加持，金剛藏菩薩入大智慧光明三昧。同時，十方十億佛剎微塵數世界，出現十方十億佛剎微塵數諸佛共同加被，他們也都叫做金剛藏菩薩，更以毗盧遮那如來本願威力的加持，而宣說菩薩十地階位的境界、差別及修行主軸。

就像大地之母生發萬物，十地的地，也代表著一切萬物亦是依地而生，依地而長，依地而成，依地而住，依地而得到解脫。菩薩十地，從初地菩薩到十地菩薩分別來到了歡喜地、離垢地、發光地、焰慧地、難勝地、現前地、遠行地、不動地、善慧地、法雲地等美麗境界。這個「地」既是一個位階，更是一個生發大願，開啟大用與回歸的本源。如果把每一地當作一個花園，孕育每一地花園的土壤，滋養眾生分別從歡喜、離垢……到法雲；同時所成熟的地礦寶藏來分享萬物，度化有情，也是歡喜、離垢……到法雲。

這十個階地的菩薩境界，既是佛陀的方便說法，也是給予勵志奉獻，學習無私，持守清淨，鍛鍊定力，證悟智慧等諸多上求菩提、下化眾生的菩提薩埵們的一種勉勵。他們在地球人生中，努力從布施、持戒、忍辱、精進、禪定、般若、方便、願行、力行、智行，尋找到那一雙翅膀，學習飛翔越過最高山，看見世界的最美，帶著歡欣及跳躍的心，翱翔在此岸與海的那邊。

金剛藏菩薩一開場，對所有佛子說：「我不曾看見任何一個佛國土內的如來，不說此十地法的道理，為什麼呢？因為這是大菩薩修行菩提的最上道路，也是清淨法光明門。」這是一開始他給予眾菩薩們的信心。

且菩薩不是一人的成就，菩薩道是一個馬拉松團隊，大家在此協力互助，展現慈悲和智慧，在每一地發光發熱，而這是多麼美好的境地呀！那些穿越時空、無所不在的諸佛與菩薩們，為我們織繪一幅美麗的菩薩道與朝聖之路，讓我們提起信心與勇氣，發起修行殊勝的慈悲與智慧，成就菩提，以加入這個菩薩團隊。

菩薩是最不孤獨，最擁有柔軟心的一群人間行者。在菩薩道之中，永遠充滿著歡喜與樂觀，彼此陪伴，互送溫暖，一代一代的菩薩們延續著光和愛，延續著無我與無私的虔誠。這也是從龍樹菩薩發現《華嚴》經典以來，開啟漢傳佛教之華嚴宗派，乃至近代華嚴學薪火相傳大乘佛教的重要使命。

我是誰？我是一個菩薩，你記得你是一個菩薩嗎？

這本書，不僅是華嚴宗女性傳承者——賢度法師的證道歷程，更是那些菩薩教會我的事——十地菩薩所教導的智慧，於她六十歲月的步步行旅中逐一顯化示現。而賢度法師以其純真之心，不斷從每次的困難障礙，乃至生死關卡中突破蛻變，找到屬於自己的一雙菩提之翅。

這樣的純真，來自鑽石般堅固而真實的「信」：她信仰著菩薩，她信任著菩薩，她也自信著自己就是菩薩，而有信心堅定地走在這條菩薩道上。期待透過賢度法師的生命故事，帶給我們啟發，也給予同在道上的菩薩們一份鼓舞：加油、加油，讓我們一起前進，一起飛行在此岸與彼岸。

在在處處，時時刻刻，菩薩無所不在守護一切，因為我們就是菩薩。

第一章

歡喜　踮腳尖走路的女孩

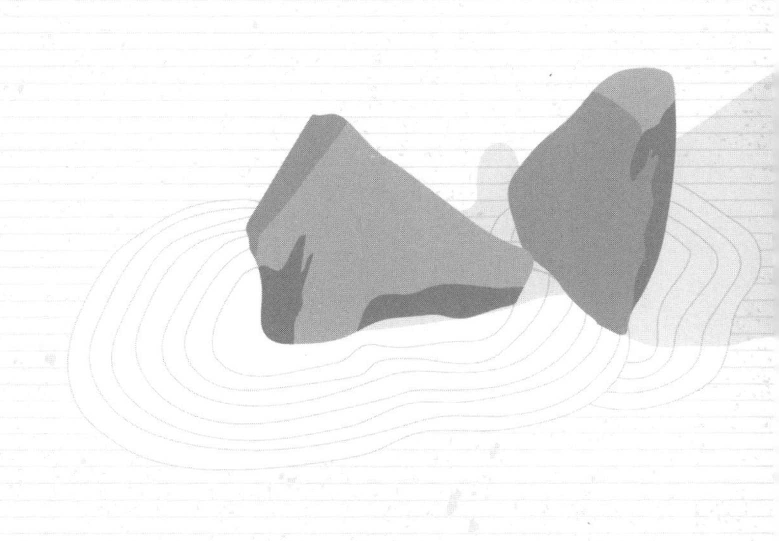

從遙遠地方來的孩子

她的第一個記憶是天空，天空有無限的藍，還有無限的宇宙。

母親足足生了三天時間，總算把她生下來了。那時是一九六〇年一月二十一日，按照星座來講，是水瓶座，一個自有內在宇宙的星座，永遠想為這個世界創造些什麼，也關於自由與沉思。但那時，還是舊勢能傳統的年代，這些都被視為無稽之談。當時是所謂理想年代的發端，而她是屬於理想青年的那一個世代。

一九六〇年整個台灣正準備起飛，她在這時誕生於這個世界。

她出生在一個曾經繁華的商賈小城——桃園大溪，有一條清澈寬闊的大漢溪，很早的時期可以駛著帆船到淡水河，和大陸進行貿易。她出生時，這個城鎮已經沒落了，只留下當年各式融合巴洛克式與閩南建築中西混合的風貌，成為獨一無二的特色。這種混合與融合，比如傳統與現代、延續與革新，也是她一生中經常面對的挑戰。

她對生命的理解是，一切都是變動的，一切也都是活的。面對各種事物，她常憑每日一早醒來的直覺去做事，做法也不盡相同，看似叛逆卻活潑。因為這個時代早已超脫固定的模式，所有的認知都在解構，朝向全新的數位整合，佛教亦然。

「現代的世界面臨的種種問題不是一個山頭，也不是一個宗教能解決，佛教徒必須與時俱進。」

這世界並非一成不變，我們也非一成不變，這就是佛陀的無常觀。「但時間實在過得太快，我們必須及時把握，日日更新，也是時候整理從前。」

是的，所有的從前都是一個累積，也是一個個的印記。

佛陀世尊在成道的第二七日於「海印三昧」中，一時頓演了七處九會的大法，並將其自身三大阿僧祇劫的修行過程，透過海印三昧投影出來，即為《華嚴經》的精髓。所謂海印三昧，便是以大海森羅萬象的各種變化，做為成佛之道的比喻。華嚴宗的集大成者——三祖法藏，在《妄盡還源觀》中這麼解釋：「海印者，真如本覺也，妄盡心澄，萬象齊現，猶如大海因風起浪，若風止息，海水澄清無象不現……，所以名為海印三昧也。」我們生命旅程的每一個印記，說來無非就是大海中的各種變化，最後總是無常中讓我們領悟恆常，生命每一足跡都是修練，都是心的煉金術。

但她一開始對這個世界的印象卻是很糟糕的，到處是塵囂的混雜氣息，環境看起來都很髒亂，為了避開這些髒亂，她小的時候都是踮著腳尖用跳的走路。她懂事後才明白，原來這就是她到這人世所要面臨的第一個真相——五濁惡世。

「我祖籍江西會昌人，父親在大陸國防醫學院畢業，一直服務於軍醫體系，一九四九年隨軍隊避難來台。我母親是宜蘭人，十六歲時就和父親認識，當時的社會不太能接受本省籍女孩嫁給外省籍男人，儘管祖父母反對，母親十八歲時還是堅持嫁給我父親。隔年就生下我大姊，再兩年生下我大哥。我大哥的身體很不好，有先天性免疫力不全，身體很容易受感染，所以生我時，父親很希望是個男孩。」

可能知道不符合父親的預期，而她大概也很不想來到這個娑婆世界，母親好不容易生下她後，父親來看了一眼，知道是女孩後，難掩失望地轉頭離開。而且生她的那天，正好哥哥也生病住院，父親忙著在醫院照顧，家裡沒人竟遭小偷洗劫一空，只剩下一只澡盆，讓母親可以幫她洗澡。賢度法師笑說：「我出生時，呈現的徵兆就是四大皆空。」

對於這段往事，母親後來說：「你肯定是從很遙遠的地方來，我足足生了三天才把你生下來，讓我受盡了折磨。」

從很遙遠地方來的孩子，從小就是一個安靜的孩子，喜歡並也習慣沉默，總是凝視此刻的空白，安靜到讓人忘記她的存在。連隔壁鄰居的小男孩，把她從搖床裡抓起丟到地上，她也不吭一聲。「我母親發現我很喜歡沉思，一個小孩居然整晚不睡覺，一直看著天花板，我那時可能在思考，怎麼會來到這個星球？」

這安靜的孩子也不喜歡和家人有任何親密動作，心裡彷彿住著一位老靈魂，再大一點懂事時，對於周邊大人一些無知舉動，也會老氣橫秋地叨唸著：「烏煙瘴氣。」

學佛後才明白，她所排斥的這個娑婆世界，不僅是充斥著五濁——劫濁、見濁、煩惱濁、眾生濁、命濁的不淨世界，更是地獄、餓鬼、畜生、人、天——三惡五趣輪迴、雜會之所，娑婆意味著勘忍、能忍、忍土，之所以要這麼忍耐，正因為這是一個充滿缺憾而不盡完美的世界。但幼小的賢度還不懂，在這樣的惡劣環境中生活、成長，只覺得自己很痛苦。要如何在不清淨的塵世間，修練一顆歡喜接受的心，是她生命中第一個課題。

超齡早熟的童年

對賢度來說，童年是充滿苦難的，她從小就渴望自由，渴望選擇自己要過的生活，但似乎被困在狹小的空間之中，被一條看不見的命運之鍊給牽著走。

尤其眷村的環境更是擁擠嘈雜，每戶人家的低矮房厝內都十分狹窄，且一戶緊挨一戶，幾乎沒有任何的隱私。他們一家六口生活在侷促的空間中，除了兄姊之外，還有一個小她一歲的妹妹。當時軍公教收入微薄，當軍醫的父親要養活全家，並支付哥哥龐大的醫藥費並不容易。

在賢度眼中，父親是任勞任怨，性格溫和且顧家的好爸爸，也是勤學專業的好醫生。軍職退休後，他仍到台大醫學院補修家醫學分，並考取家醫執照，開了間診所執業看病，也繼續在醫院的家醫門診應診。

童年時，賢度時常觀察爸爸如何幫病人看病，也記下哪些藥是治什麼病。自己一有頭痛腦熱症狀時，就自作主張去拿藥吃，只是不知道兒童劑量和成人是不一樣的，所以常常吃錯藥，被抓到醫務所打針。她小小的心靈是想快點長大，也能當個醫生幫病患治病。

能幹的母親則是整個家庭的重心，像魔術師一樣，一直在設法變出各種應對困境的解決方法。在那個白米稀有昂貴的年代，她把每月軍中配給所分配到的麵券留著，然後把米券拿去賣掉，換到的錢用來貼補各種家用，購買縫紉機、腳踏車和各種需要的生活用品。賢度印象中，自己從小是吃麵食長大的。母親個性強大，即使清苦，也不讓小孩在別人眼中看起來寒磣，不僅親手縫製四個孩子的衣服，讓孩子們穿扮得體，且管教嚴格，訂了很多規矩，如下午四點以後不能隨便外出，更不可以隨便拿別人給的東西。一次鄰居好心請幾個孩子吃一碗冰，母親事後知道很生氣，把每個孩子輪流打了一頓。

母親管教孩子採取嚴厲的集體處罰方式，大姊往往被打得最兇，因為大賢度兩歲的哥哥身體不好，被打得輕，輪到自己時，常常是連棍子都被打斷。她的災難不只一樁，因為提早一年上幼稚園，身體瘦小，有一回幾個小孩擠坐三輪車上學時，唯獨她被擠到地上，額頭摔出一個凹痕，她依然沒事一般，不哭不鬧，沒有太多情緒。

而從小她就自然地茹素成習，一見到餐桌上有肉時，腦海便浮現動物被宰殺時的場景，忍不住就驚恐地哭了起來，讓家人常常感到無可奈何。法師說：「這應該是前世就發了不食眾生肉的願行所致。」因不肯吃葷，自己必須學做麵食、素食等，加上母親常在醫院陪哥哥住院，家中多是大姊在照顧，自然也養成賢度獨立而默默行動的性格。童年最大的樂趣是母親帶著四個孩子坐上三輪車，去電影院看《梁山伯與祝英台》，黃梅戲是母親的慰藉和全家的娛樂。

無明所繫愛緣不斷

其實家裡苦難的根源還是因為「重男輕女」的觀念。賢度的父母親一心想生個兒子，家中唯一的男孩一出生卻嚴重支氣管炎，醫生診斷可能活不到五歲，後來父母想再生兒子，陸續生了賢度和妹妹，卻都是女兒。父母費盡所有心力照顧這個先天病疾纏身羸弱的兒子，全家人也為他犧牲一般家庭無憂無慮的生活。

苦難使人成長，天賦異稟的賢度六歲時就學會習字，通過考試，提早一年就讀小學，也是為了和延後入學的哥哥同班一起讀書，並為經常缺席的哥哥備課、複習，小小年紀就扮演陪讀的角色。

人的執念，就是一個束縛自己的枷鎖，而且這個枷鎖是自己套上去的，但自己是無明，沒有覺知的。你愈認真，愈執著，這個鎖就被自己拉得愈緊，甚至喘不過氣，痛苦不已。這個鎖，這一世沒解開，沒放下來，下一世又得繼續背負，形成前世今生業力的循環。《雜阿含經》如此敘述：「無明覆，愛緣繫，得此識身。……彼無明不斷，愛緣不盡，身壞命終，還復受身。」無明、行、識三支次第，建構了我們生生世世的生命軌跡。

兄長先天免疫力不全，經常身體長出腫瘤得去醫院動手術，從小進進出出醫院，一路驚險地長大，母親為求孩子平安健康，也處處求神拜佛。兄長結婚後，陸續生的兩個兒子，不幸也遺傳了免疫力不全的毛病，小小年紀就離開人世。而賢度的兄長三十歲時，身體已不堪負荷，最後得淋巴癌過世。彼時，已出家數年的賢度帶著弟子趕回來辦喪事，誦經主法，送他最後一程。接連失去孫子、兒子的打擊，讓賢度的父母陷入嚴重的憂鬱。

「這一切從無到有，從有到無，如夢幻一場。」世間八苦——生、老、病、死苦，愛別離苦，求不得苦，怨憎會苦，五陰熾盛苦，這八苦就像一個個導師一樣，一再教導著我們。《金剛經》的捨得，就是明白了「一切有為法，如夢幻泡影，如露亦如電，應做如是觀」。但捨不得的，正是凡夫的一念無明。一念無明，愛緣一繫，就種下了因果，並且如此快速地一瞬即逝，如此地無常迅即，讓人措手不及。

「有的人一生是來嘗受各種人生滋味，但菩薩道的行者是歡喜的，是超越痛苦的，他不是來追求一個甜美的人生，而是履行他的願心和願行，完成一世世的人生試煉。我從小就一直在觀察我的生命故事，因為我覺得我的人生不能糊里糊塗，每一刻都要很清明。」賢度法師說。

初地菩薩為歡喜地菩薩，初地菩薩為什麼歡喜呢？而且不是一時的歡喜，是無限的歡喜。「因為初地菩薩先發菩提心，從大悲心為首，到智慧的增上，斷除煩惱與所知二障分別，發願助眾生，以布施為樂，凡所有一切皆能捨、能施，以善巧方便，而入出世道，所有怖畏悉得遠離。」（見賢度法師編著《轉法輪集一》）

如何從輪迴生死的凡夫到發菩提心的菩薩行者，從痛苦到歡喜，淨土的發生是心的轉變與提升，當一個人的心沒有改變，他的煩惱不會改變，他的命運也不會真正地改變，就永遠被娑婆世界給困住了。而心的改變要能對塵世的執戀，對過去的執迷，生起強大的出離心，也要能遇上明師的帶領。明師是帶領我們衝破黑暗的一道閃電之光，當弟子準備好的時候，師父就出現了，而這也是我們一生中難得可貴的轉折與轉變的契機。

第二章

離垢　生命的轉折點

蘭陽平原的風光

賢度生命的第一個轉折點，是在小學四年級時，母親決定要從大溪搬回宜蘭居住。從十八歲離開宜蘭到大溪結婚生子，母親已離家十多年了，蘭陽平原開闊的天空與綿延的稻田，藍色的海與綠色的山，成為日夜思念的鄉愁，也讓思念家人的母親增添想回家的心願。

賢度九歲時，母親的願望實現了。

「我在桃園大溪出生後，就在豐林新村的眷村住了近十年，現在這個眷村已經改建找不到原跡。父親在鄰近的司管區醫務所擔任主任醫師，小時候最期待跟著爸爸坐上吉普車，感覺好風光，尤其爸爸穿軍衣的樣子非常帥氣，後來他做到中校位階退休。但母親嫁人搬來大溪後，不能和外婆娘家這邊經常聯繫，她很想家，之後和我爸爸商量，轉調聯勤單位工作，待遇也比較優渥，我們就搬回宜蘭。」

當車子穿越雪山山脈，駛近平坦如織的蘭陽平原，太平洋的風吹過來，成片的雲彩襲捲而去，飛越蘭陽溪的天空，進入上游一帶靜默而高聳的綿延山間，隱藏著過去泰雅族的狩獵路徑，和充滿芬多精的神祕林場。大自然呈現一幅山海交織的曼陀羅，對於喜歡仰望天空沉思的賢度來說，比起大溪，這裡讓她更有「家」的感覺，她感受到母親的喜悅，也理解了母親一直想回家的理由。

但賢度知道，這也不是她真正的家，這個家還是太小了。「我們搬到宜蘭後，在還沒買國民住宅前，仍住在眷村，我已經小學四年級了，在雜亂而狹小的空間中，沒辦法靜下來溫習功課。眷村隔壁正好是一所教堂，我常去教堂，在那裡做功課、讀書，和神父、修女們培養很好的感情。」

當時，台灣的佛教還處於萌發時期，那些從大陸避難來台的法師們，還在胼手胝足地宣揚布教，重新奠定台灣正統佛教的教法與基礎。大陸文化大革命發生後，他們知道祖庭也暫時回不去了，只能落地生根，各自尋覓久安之處，以便在台發揚漢傳佛教的大乘法脈。

比如，賢度的師父成一法師已隨其師公南亭老和尚，在台北新生南路創立「華嚴蓮社」（一九五二），推動弘法工作，並奉養智光長老。後移到濟南路二段四十四號現址（一九五四），成一老法師在訪談錄提及：「當時政府一再宣傳『一年準備，二年反攻，三年掃蕩，五年成功』，所以兩位老和尚以反攻在即，也都不主張建大道場。」

華嚴蓮社原是一幢花園住宅，搬入後為了舉行定期的華嚴月會，陸續於一九六二年、一九七二年改建，也開始弘法、教育、慈善、文化等四大事業。身為住持的成一法師帶領蓮社擴建工作，於一九七四年竣工，隔年一九七五年即成立華嚴專宗學院，以「弘揚華嚴大教，培養弘法人才，端正佛學思想，建設人間淨土」為宗旨，成一法師並擔任佛學院院長，敦請南亭長老擔任導師，主講《華嚴經》。（以上見《成一法師訪談錄》）

而在宜蘭這邊，一九五三年星雲法師駐錫宜蘭雷音寺，隨後成立念佛會，吸引年輕信眾念佛，是星雲大師來台早年弘法的根據地，也是現今佛光山在台灣東北部的主要道場。賢度的母親也在宜蘭佛光山學佛很久，受菩薩戒，擔任佛光會督導。

近代台灣佛教的興盛，成為民眾信仰的支柱，那些來台避難的老和尚與法師們功不可沒，他們在台默默地耕耘，弘法興學，傳授三壇大戒。不過距當代台灣佛教全面開展的輝煌時期，算是還在成長階段，尤其一九七〇年代的社會民風樸實，資訊也不發達，人們雖知道念佛，但對佛法仍是十分陌生的。

少年的賢度也是如此，對她而言，神父和修女更是日常熟悉的朋友，寧靜的教堂為她不安的心靈帶來一絲安頓。「後來，我爸爸堅持讓我學護理，我就到羅東天主教聖母護理學校念書，當時的創校常務董事是聖母醫院的院長——義大利籍梅崇德神父，他管理整個事務，主持彌撒。呂道南神父則執行醫務，負責教導我們，帶我們查房、寫病歷，學校的其他醫生和護士也都是義大利籍神父、修女。這所醫院沒什麼營利，以前的原住民生活十分困苦，常常付不出醫藥費，都是神父寫下欠條，放進抽屜內，後來錢也收不回來。他們一生奉獻，不分國籍，對貧苦者施捨的無私奉獻與大愛，讓我很感動，也常跟著去做彌撒。護理學校畢業後，又繼續研讀助產，在產房目睹了母親生產的痛苦，為迎接每一個新生命所付出的代價，活生生的血淚交織出的生命之網。」

在天主教護理學校實習時，最可怕的是夜班巡房，白天的病房還充滿生氣，到了晚上便一片死寂，還要克服一個人在護理站值班的心理障礙。醫院裡的生離死別，是每日上演的人間劇場。有次她在急診室值班，送來一位車禍嚴重受傷昏迷的男性傷患，必須立刻截肢。對方已陷入神智昏迷，不清楚自己被截肢，也沒感覺痛苦，雖然眼睛睜開，但其實是沒有意識的。手術完成後被送去加護病房，賢度也正好轉到加護病房，又遇上這位傷患，對方仍不清楚自己已失去一隻腳。這位傷患痊癒後，被神父安排在門診大樓擔任保全工作，這是神父的慈悲。

肉體的脆弱，禁不起任何打擊，眼前的生老病死，看著病人的病逝，目睹新生兒的出生，都讓賢度感受到世間一點都不好玩，那份強大的出離心不斷在心底生起。此外，還發生一件至今讓她永生難忘的事，也是她學習無畏布施的開始。醫院的病房內住著許多癌症病患，其中一位癌末患者，到末期時傷口一直無法癒合，但也沒辦法做有效的醫治，只能任由腸子在腹內潰爛，發出惡臭。

「我那時太年輕，一靠近這位病患時，對他身上散發出的臭味，感到畏怯而不敢接近，面露一點嫌惡的表情。被修女發現了，她當下抓著我的手，把我拉過去，很嚴厲地對我說：『如果有一天你是病人，你就知道他的痛苦。』這件事對我影響十分深遠。」

白衣天使為家付出

風從眼前拂掠而過，金黃稻浪自兩側延伸至看不見的盡頭，彷彿無量、無數、無邊，彷彿恆河沙數的那種無限的感覺，也彷彿被道路劃開的金色海洋。二十一歲的女孩，騎著車，馳騁在稻田間的小道上，從幼苗初播的嫩綠，到稻禾漸長的青綠，再到飽滿稻穗的金黃，目睹著四季不同的宜蘭農村風光，如變化的織錦般，展現各種迷人的田野之美。

每天，有一張橫跨宜蘭鄉鎮的行動地圖，是賢度的一日小旅行。

一大清早，天光初綻，她從員山的家出發，騎車到宜蘭，再搭火車至南澳偏遠地區，開始白天巡迴醫療的工作；到了晚上，再趕回父親開的診所，拉起鐵門和父親一起夜診，直到夜深人靜。如此超時的工作，卻是賢度週而復始的日常。她最開心的時刻，正是早晨騎著車的這段路途，她可以放空自己，任風景流過，暫時忘卻一切。等到了工作場所，忙碌的行程又在推著她前進。

從聖母護理學校畢業後，她沒有選擇留在聖母醫院，因為繼續留下來的話必須強迫受洗，她覺得這不是自己要走的路。已從軍職退役的父親，在一九七五年十二月轉至員山衛生所服務，順理成章讓她進衛生所上班。一九七八年夏天到一九八〇年七月，十八歲的她當了兩年護士，在宜蘭衛生所擔任成人慢性病的防治工作，隨身攜帶護理包，跑遍宜蘭大街小巷，挨家挨戶量血壓、血糖，進行高血壓、糖尿病等預防醫療宣導。台灣醫療水準的全民普及與提升，就是靠當年醫護人員這樣一步一腳印建立起來的。

一九八〇年七月到一九八一年三月，她轉至壯圍鄉衛生所，從事結核病防治與追蹤，訪視的範圍涵蓋整個蘭陽溪以北的「溪北」地區。壯圍鄉位於溪北的蘭陽平原東部，鄰近宜蘭市區，東臨太平洋，又居蘭陽溪下游及出海處，壯圍的海邊也是她最喜歡的去處。

她常走在沙灘上，遠眺一望無際的海洋，感覺心胸遼闊，所有的煩惱，工作的忙碌，家裡的負擔，都被大海給吞噬不見。大海依然呈現蔚藍之美，每一朵浪花既是海洋本身，而海洋亦是每一朵浪花，大自然蘊藏的奧祕，都在啟發她追求生命的答案。觀世音菩薩聆聽海潮音入流亡所而開悟了，她聽著海潮的聲音，也進入她的內在宇宙。

她總是這樣思索著。「是什麼在操縱我的命運，推著我不由自主地往前行？又是什麼在主宰著芸芸眾生的命運，讓他們在生死洪流之中不斷地流轉？重複的追尋與失去，重複的愛與恨，這不停歇的重複就是讓人疲憊的輪迴。」恆河沙數，說的不僅是日月星辰，不僅是諸佛菩薩，不僅是宇宙時空，更是那生生死死的芸芸眾生。

一九八一年三月，二十歲的賢度申請了保健員的正職，轉往南澳衛生所擔任保健員，開始為期三年艱辛的巡迴醫療工作，同時父親也開了一家夜間診所，賢度自然成為父親的左右手。賢度的哥哥病情時好時壞，大姊工作兩年就已嫁到基隆，妹妹還在讀書，賢度具有護理的專業，父女倆正好一起執業，於是她白天跟著醫療車奔波在花蓮以北偏鄉，夜晚則換上白袍看病。

有些病人在接受了賢度的醫療後，很快就痊癒回家，卻換成她出現症狀。她慢慢發現自己似乎能「感同身受」病人的病症，就像一個轉移病痛的工具。她天生就具有這種遷病的體質，不像許多修行人是經由修練而鍛鍊出自他交換的能力。但四十年前資訊不暢通，那時佛教尚未廣泛傳播，她也不懂這需要正確的法門去引導，否則接收到別人的毛病，不知道如何排解出去，只是徒增困擾。所以這份天賦異稟，對她而言是個麻煩的禮物，她只能跟著打針吃藥。這種現象讓她開始產生莫名的恐懼。但樸實無華的鄉親們總是信任她的醫術，不時送些水果、蔬菜放在診所門口，那份熱情的回饋，讓她感到溫暖而欣慰。

辛苦兼職的白衣天使日子為期三年，她不像一般花樣年華的女孩嚮往著愛情，對結婚生子懷抱著夢想。她很清楚自己——愛別人比愛自己更多，她是做不到的。她需要很多屬於自己的時間去完成很多事，而且她總看到人們不完美之處，即使婚姻本身也是。

後來學佛，她終於遇見世界上最完美的人了：「最完美的對象是釋迦牟尼佛。」釋迦牟尼佛散發著沉靜、安詳，臉龐、全身，甚至連手指都流露出圓滿與祥和，他的微笑撫慰人心，讓人忘卻煩惱，想成為和他一樣覺悟的人。

賢度不眠不休地工作著，和父親一起承擔起家中的事業，無怨無悔地付出，成為新時代獨立的女性，甚至還買了一部時髦的紅色福特汽車。這部車開沒多久，她就離家出家了，把汽車留給父親。捨不得她離開的父親，為了怕睹物傷心，把汽車賣了。這是一九八六年的事。

四大皆空

天空、星辰、太陽、月亮、雲朵、田野、花朵、河流、海洋……一切都在運行著，一切看似不變，卻都在變化中，一切都從空中因緣生起，因緣消滅。如果用宇宙觀去理解四大：地、水、火、風，這構成生命的四大元素皆是空中而來，空中而滅，四大皆空，也就是構成一切萬物的元素都不是究竟真實。

「我從小很喜歡拜拜，不管耶穌基督，不管大小宮廟，經過的土地公廟也會進去拜一下，我可能和這些無形的神明有緣，我看見祂們很開心，祂們看見我也很開心。」

賢度從小喜歡拜拜，是因為母親的關係。母親為了祈求兒子的健康幾乎跑遍全台各大靈山，而不論去哪個寺廟拜拜都會帶上小賢度，「最早印象是四歲時到汐止秀峰山拜慈航菩薩，那條陡峭的山路非常難行，母親揹著哥哥，牽著我，感覺好漫長。

「我在宜蘭壯圍工作時，經過濱海一帶沿途的宮廟時，也會進去拜拜。我父親當時心臟不好，裝上支架，拜拜時都會為他祈求，可是，後來發現自己的身體慢慢出現問題。某天媽祖出巡時，我正在幫病人打點滴，忽然心跳加快整個人就倒下去。」

母親去問神壇，得到的答覆是：「你這女兒太會拜了，拜了是要還願的。」

母親便和神壇約定某天一起酬謝眾神，但賢度時不時莫名發高燒的情況仍未好轉，檢查起來卻沒特別的毛病。在南澳巡迴醫療期間，可能工作太過勞累，最嚴重時曾經昏迷長達六天，醫生也束手無策。

「在這空白的六天，我完全沒有記憶，母親無助地又去求神問卜，人家一看我的八字，說：『四大皆空，什麼都沒有，如果能活過來也無法活過四十歲。』母親緊張地又問：『那怎麼辦？』對方說沒辦法，要她去求觀世音菩薩，我母親就去求了，還發願說：『只要我女兒活過來，就把她送給觀世音菩薩。』結果，我在醫院就醒過來了。但母親事後跟我提及這個決定時，我整個人崩潰了，心想，我的人生你怎麼就替我決定。因為當時不了解，也還沒開始學佛，以為出家修行就是跑到深山找神仙。」

由於身體過於虛弱，一九八四年六月底，賢度只好轉調蘇澳衛生所當保健員，但一年三次急診，根本無法好好工作，最後只好辭職在家休養。「我精神不好，也不能出去工作，整個人歪歪倒倒，冥冥中感覺肉體無法掌控，我很無力，到底是什麼在主宰我，有什麼事要發生？神壇跟我母親建議：『想個改八字的辦法，這樣吧，你把她的八字用紅紙寫下來封好放在床底下，然後別人問起就用假的。』我母親雖然照做，但她在佛光山也學佛很久，知道這是業障現前，後來就帶我去皈依。」

才走進道場，爐香讚一唱起，賢度就無法自主地淚如雨下，陷入恍神狀態。一小時的皈依儀式，不知進行了什麼。結束時，母親將她搖醒說：「回家了。」臨走時，她順手拿起佛學雜誌和錄音帶等結緣品，回家一聽，是藥師佛經，她就跟著錄音帶聽經念經，做早晚課，持誦《藥師經》。

「我跟母親說，給我七天的時間閉關，我每天認真地受持藥師法門，誦七遍《藥師經》，四十九遍〈藥師灌頂真言〉。第六天早上的夢境，我看見一位好高大的佛，底下的人們都好小，我感受到芸芸眾生短暫生命的可悲，有種感覺：我要走了，家裡太小了，我待不下去，我要離家修行。」

一九八五年十月的秋冬之際，賢度離開宜蘭的家，再度踏上她的轉折之路。在北投芒花遍開的季節，她到母親同修的法友所創立的道場——北投佛恩寺，開始嘗試出家人的生活。

命可以改嗎？

佛教的中陰身，代表著一個過渡期，世界處於死亡與誕生之間，既不屬於過去，也還未到未來。賢度的過去已經結束了，也回不去了，新的未來還未開始，北投佛恩寺的短暫停留就是一個等待的中陰身。在短暫的等待期間，賢度還不知道未來真正的因緣，卻慢慢清楚一個方向——她要接受正式的佛教教育，她不願學習道教神通的技能。

「北投佛恩寺屬於佛道雙修，我自己用錄音帶學會帶一個念佛會，用碗、杯子練習打法器，唱唸經文，每日做早晚課，帶領佛學會共修。那段時間自己唸〈華嚴三品——普賢行願品〉很有體悟，特別是『懺悔業障』那段（見下），無始劫以來造作的惡業這麼多，這輩子怎麼消得完呢？可是接下來怎麼辦，我不知道誰能教導我，也不敢隨便亂跑，每天默默求觀音菩薩引導未來的路。」

復次善男子，言懺悔業障者。菩薩自念我於過去無始劫中，由貪瞋癡，發身口意，作諸惡業，無量無邊。若此惡業有體相者，盡虛空界不能容受。我今悉以清淨三業，遍於法界極微塵剎，一切諸佛菩薩眾前，誠心懺悔，後不復造。恆住淨戒一切功德。如是虛空界盡，眾生界盡，眾生業盡，眾生煩惱盡，我懺乃盡。而虛空界，乃至眾生煩惱不可盡故，我此懺悔無有窮盡。念念相續，無有間斷。身語意業，無有疲厭。（摘自〈普賢行願品〉）

賢度虔誠的願心得到了回應。在一九八五年十二月十五日彌陀聖誕法會時，佛恩寺邀請成一老和尚的大徒弟藏度法師前來主法「三時繫念」，當時賢度在廚房擔任典座，兩人而有第一次的交會，藏度法師問她：「你想不想讀佛學院？」

賢度一聽，眼淚掉下來，心想：「莫非我求的願靈驗了。」

法會結束後隔天，賢度去找藏度法師，第一句話就問：「師父，命可以改嗎？」她將自己在此之前身體遇見的種種障礙，向藏度法師說明，「如果延續母親的做法，把八字改了，是不是就可以改命，不用出家修行？」

藏度法師回答：「你命可以改，但心可以改嗎？」

賢度聽到這句話就懂了，過去種種的命運，甚至未來，如全息投影在眼前一一放映，〈普賢行願品〉的「若此惡業有體相者，盡虛空界不能容受」再次浮現，所有的惡業都是會結果的，都是自己要去承受所有痛苦的果報。這讓她生起一個強大的決心——就算這一生努力消業，也不一定消得掉，修行是不能等的。

「我得趕緊去修行，即使命運可以改變，心沒有改變，一切也無濟於事，我決定修行。」賢度點頭同意，要去華嚴蓮社讀佛學院。

得知賢度的意願後，藏度法師隨即說：「好，現在帶你去找我師父。」

一九八五年的十二月，賢度正式跨入了嶄新的生命階段。她即將踏上真正蛻變的修行之路，即將遇見她的師父，即將學習華嚴學無上的奧義，也即將成為一位比丘尼，受持神聖的戒律。

二地菩薩為離垢地，所學習的智慧就是持戒，修五戒十善是離垢的關鍵，身口意因此而得到淨化，遠離種種惡業汙垢。更上一層，一個二地離垢菩薩，他的起心動念，舉手投足並不為持戒而持戒，而是他整個生命都在戒之中，他不用刻意、努力去持戒，他已融入其中。就像一個柔和平靜的人，他不需要學習柔和平靜，他也忘記柔和平靜，因為他就是柔和平靜，這就是持戒之美。

賢度法師對二地菩薩略說：「此位菩薩具清淨戒，遠離了能夠引起誤犯淨戒的微細煩惱染汙，故名離垢地，是為戒波羅蜜多圓滿之位。其自性遠離十惡業，修十善業道，並拔度造惡業、入惡道之眾生。離垢的戒律，是為了做到無誤犯、不故犯，每個情境發生前，心地不起，連最細微的煩惱都斷除，自性遠離犯戒的因，以大悲為首，慈憫眾生，就是離垢的本質。」

二〇二〇年十二月二十七日，賢度法師於一年一度的寒冬送暖活動，在僑愛佛教講堂特別以「十善業道趨吉避凶」為題開示：「庚子新冠肺炎之災的成因，除了宇宙怪異現象，真正原因是人類殺業太重。趨吉避凶的方法，除了謹慎行事、與人為善外，修學五戒十善才是根本解決之道。《華嚴經．十地品第二離垢地》十善業：性不殺生、性不偷盜、性不邪淫、性不妄語、性不兩舌、性不惡口、性不綺語、性不貪欲、性離瞋恚、又離邪見，菩薩行者當於晝夜六時保持心善、念善、行為善，令所有善法，相續不斷，念念增長，不容毫分不善念頭夾雜其中。久而久之，即能遠離一切惡法，成就圓滿一切善法。」

她並勉勵大眾說：「於此人心邪惡諂誑之世道中，刀兵、疾疫、饑饉三大災難的降臨，乃因果報應現世之實證。佛弟子們唯有力行五戒十善，才能真正解決問題。」

第三章

發光　我要往前走

七十二歲的老師父

成一老和尚走過很漫長的一段生命旅程，他經歷了人生的各種起伏，也看盡了人間百態。

一九一四年三月二十四日，他出生於江蘇省泰縣曲塘鎮的一處農家，幼年因為體弱多病而發願吃齋，十五歲的歲末隆冬寒雪之日，他在父親的陪同下，前往營溪鄉觀音禪寺出家。成為小和尚的第二天上午，就在高曾祖道如太老人的教導下，念讀〈華嚴發願文〉，看他天資如何，並交代他隔天就要背熟。小和尚就在地藏殿靠東窗的一張方桌認真念了一天，這篇共四百六十五字的文章，也就背熟了。得到道如太老人的肯定後，一個月內又接著背〈大悲咒〉、《心經》、〈十小咒〉、〈楞嚴咒〉。

十九歲時，他到泰縣光孝寺佛學院就讀，跟隨曾師祖智光、師祖南亭兩位長老，研究「華嚴、法華、唯識、起信」等系列佛學，開啟他深入大乘佛教的堂奧，也和這兩位長老結下這一世密不可分的甚深因緣。當時是混亂不安的戰爭年代，從中日戰爭到國共內戰，時局動盪中，年輕的成一法師逐一完成南京寶華山的受戒、光孝寺佛學院的講學，又隻身前往上海學習六年中醫，並在玉佛寺創辦「上海佛教利生義診所」，懸壺濟世。

一九四八年十一月冬天，上海的風特別冷，他預見時局可能很不好，在張少齊居士的邀約下，一起搭船前來台灣，十一月二十七日抵達台北。本來張居士因拿到的船票是三等艙而想改搭下一班船，但成一法師勸他逃難是說走就走，萬一有變化恐難成行，結果下一班太平輪在福建外海就沉沒失事了。

冥冥中的安排，讓三十五歲的成一法師開始在台的弘法事業。先是開了一間「覺世圖書文具社」流通佛經，後又創辦雜誌、電台講經、辦定期共修會等等。

一九四九年局勢最緊張時，他寫信請智光、南亭二老來台避難，兩位老人家搭上五月一日最後一班飛機來台北，暫住十普寺，過著克難生活，但也開始講經說法。後來智光老和尚移錫北投居士林，南亭老和尚被請至善導寺當導師。由於皈依弟子和信徒人數日漸龐大，需要一間屬於自己的道場，一九五二年在眾人之力成就下，在台北新生南路一段買下一間木造平房住宅，做為臨時草創道場，並取名為「華嚴蓮社」，由智光長老擔任導師，南亭老和尚為住持。

原本成一法師住在中山北路二段的佛學書局，主編《覺世旬刊》，也應二老之召，進駐蓮社，協助發展社務。一九五四年蓮社又移往濟南路二段四十四號現址，是一處寧靜的花園住宅，前有小院，後有花園水池，便在此慢慢綻放華嚴這朵莊嚴清淨的大蓮花。師徒們試著在這片陌生的土地上，重建大道場的恢弘氣息，建立以華嚴宗為主的佛學教育、佛法思想及精神的傳播，而不僅於一般寺廟經懺法會、超度佛事而已。

一九六三年八月八日，成一法師與妙然、守成和尚三人同時接受南亭老和尚傳法，成為南山律宗千華第三十七世、泰州光孝堂上第十七代、華嚴宗第三十七代傳人。在這之前，他也展開全省弘法工作，在宜蘭頭城開成寺成立弘法團、空中講經教學、參與《大藏經》印經環島訪問團等。一九五九年任蓮社監院，定期主持華嚴月會，一九六三年智光長老圓寂後，為感念智老，與南老、星雲法師、悟一法師、陳秀年居士，於永和共同創辦智光高職。

一九七二年三月一日的華嚴月會期間，南亭老和尚正式將住持一職交給五十八歲的成一法師，因道場不敷使用，他陸續增購新屋，籌劃改建工作。在蓮社改建期間，南老指示要辦佛學院，「一方面提升僧伽教育水準，培養現代弘法人才；二是紀念智光老和尚，其學行都專宗於華嚴，華嚴宗主張法界緣起，切合當代所需；三是台灣各科技大專院校相繼設立，僧伽教育也應該與時俱進」。於是成一法師於一九七五年創辦「華嚴專宗學院」並出任院長，南亭長老為導師，十月正式開學。同時，蓮社改建後的五層樓及地下室也大致完成，並在一九七六年二月二十四日舉行新佛堂落成及佛像開光大典，五百多位信眾齊聚一堂，盛況空前，此後華嚴佛七法會正式於每年定期舉行。

一九八二年南老圓寂，佛學院及蓮社的所有工作完全落在成一法師身上，這時他「深感兼職太多，無暇修行」，便於一九八五年請了中法師任第四任住持，隔年一九八六年請淨海法師任第五任住持。（參見〈一脈相承〉、《成一法師訪談錄》）

當一九八五年十二月底，將滿二十六歲的賢度第一次和她的師父見面時，成一老和尚已是七十二歲的老人了。

上輩子的哪個老信徒

「我第一眼看見老和尚時，覺得他好熟悉，一切都很自然，有種似曾相識的感覺。」賢度回想起和這位身形脩長慈祥的老人初遇的情景，他戴著眼鏡，留著白鬍子，冬天天冷時頭上還戴著小帽子。

她沒有任何緊張，一切都是那麼自然，之前對前程的迷茫一時都破除了，她很有信心：「這就是真正的師父了。」但那時，她也沒想到自己在幾年後，會成為蓮社的第六任住持，而且是第一位女性住持。

那天，十二月的台北冬天，幽靜的濟南路有種格外溫馨的氣氛，蓮社的華嚴佛七法會正在二樓大殿進行著，無數信眾不分本省或外省籍虔誠地齊聚一堂，一字一句跟著朗朗誦念經文與佛號。每一個跪拜都是轉化自己的心，都是在清理妄念的垃圾，給予清淨的內在空間，進入毘盧遮那佛的法界淨土。

藏度法師帶著年輕的賢度，直接上四樓拜見成一老和尚，一進門藏度法師就說：「老和尚，這位女同學想要出家，要讀佛學院。」

成一老和尚放下手中事情，抬頭看看他們，看看賢度，用他濃厚的外省腔，帶著蘇北口音，不置可否，只淡淡地答應著：「出家好，現在環境這麼惡劣，女孩子嫁人也未必有好結果。不過我現在不能跟你多說什麼，我們正在打佛七，你先到大殿跟著他們繞佛、念佛，待會我要開示，要稍微準備一下。」

賢度便到二樓古樸莊嚴的大殿繞佛、念佛，感覺像是進入久遠以前的電影畫面之中，每一跪一拜，彷彿古老的影片重播一次，如此清晰而熟悉。而且賢度沒學過「華嚴字母」，但跟著大眾一起念著唱著，居然就會唱了，好似原來就會一般。

已在大殿領眾的老和尚聽到後，轉頭問她：「你是跟你媽媽或奶奶、爺爺來過嗎？」

賢度答說：「我自己來的。」

老和尚又問：「那你唱過嗎？」

賢度搖頭：「我是第一次。」

老和尚疑惑了：「那你怎麼會唱？」

賢度說：「我不知道。」

佛七法會圓滿後，老和尚再找賢度談話：「我講話你聽得懂嗎？」

賢度說：「當然聽得懂。」

成一老和尚說：「那些學生起碼聽我講經一年後，才知道我在講什麼，你大概是上輩子哪個老信徒投胎轉世。」

賢度問：「那我可不可以念佛學院？」

老和尚點頭：「可以，你去教務處找教務主任，談談如何安排。」

賢度沒有任何疑問，也不擔心，覺得一切是這麼地理所當然，這就是她要走的路，這裡就是她要來的地方。她順應著老和尚的安排，老和尚說什麼就是什麼，她沒有問題，也沒覺得要再問什麼。接著，成一老和尚拿出一本《佛七儀軌》，翻到〈華嚴發願文〉（見下）那一頁，逐字唸給賢度聽。好像一個入門的儀式般，當年的成一小沙彌在道如太老人的教導下，念讀〈華嚴發願文〉，現在的成一老和尚也如此教導著賢度，看她是否能契入華嚴的根器：「做為華嚴學人，一開始的發願是很重要的，要能先發願，切實修行，才能成就菩薩道。」

當老和尚唸到「手捧目觀心口誦，當知夙有大因緣」時，賢度一看這句，心中恍然大悟：「喔，那就是了。」

之前對於今世如何消除累世罪業的疑問，也在此得到解答——以此稱經功德。以此發願功德。願與四恩三有。法界一切眾生。消無始以來。盡法界。虛空界。無量罪垢。願與四恩三有。法界一切眾生。解無始以來。盡法界。虛空界。無量冤業。願與四恩三有。法界一切眾生。集無始以來。盡法界。虛空界。無量福智。同遊華藏莊嚴海。共入菩提大道場——遵循這條華嚴的修行道路，可消無量罪垢，可解無量冤業，可集無量福智。

「我讀完這篇之後，沒有懷疑了，有路可以走了。」賢度法師回憶說。

〈華嚴發願文〉

南無清淨法身毘盧遮那佛（三稱）

稽首華嚴真性海　種種光明徧照尊
普賢萬行所莊嚴　一切真如法界藏
龍樹龍宮親誦憶　實叉于闐闡微言
一乘圓頓妙法門　見性成佛真祕典
手捧目觀心口誦　當知夙有大因緣
見聞隨喜發菩提　究竟圓成薩婆若

南無毘盧教主。華藏慈尊。演寶偈之金文。布琅函之玉軸。塵塵混入。剎剎圓融。十兆九萬五千四十八字。一乘圓教。大方廣佛華嚴經。若人欲了知。三世一切佛。應觀法界性。一切惟心造。常願供養常恭敬。七處九會佛菩薩。常願證入常宣說。五周四分華嚴經。常願供養無休歇。九十剎塵菩薩眾。常願悟入常宣說。大方廣佛華嚴經。伏願弟子。生生世世。在在處處。眼中常見。如是經典。耳中常聞。如是經典。口中常誦。如是經典。手中常書。如是經典。心中常悟。如是經典。願生生世世。在在處處。常得親近華藏一切聖賢。常蒙華藏。一切聖賢。慈悲攝受。如經所說。願悉證明。願如善財菩薩。願如文殊師利菩薩。願如彌勒菩薩。願如普賢菩薩。願如觀世音菩薩。願如毘盧遮那佛。以此稱經功德。以此發願功德。願與四恩三有。法界一切眾生。消無始以來。盡法界。虛空界。無量罪垢。願與四恩三有。法界一切眾生。解無始以來。盡法界。虛空界。無量冤業。願與四恩三有。法界一切眾生。集無始以來。盡法界。虛空界。無量福智。同遊華藏莊嚴海。共入菩提大道場。

南無大方廣佛華嚴經華嚴海會佛菩薩（三稱）

我要往前走

「我個性從小就很獨立，既然決定了，就義無反顧地去做，不需要猶豫。老和尚讓我去找教務主任，我不多想，直接找教務主任報名讀佛學院，但教務主任跟我說：『你要讀佛學院，需要經過家長同意，而且這學期已經快結束了，下學期再來，先回家請家長簽報名表。』」當時的教務主任是成一老和尚的徒孫妙果法師，是老和尚徒弟音度法師的弟子。

睽違八個多月返回宜蘭的家，賢度拿著佛學院的報名表直接找父親簽名。父親雖然簽字，但心裡是不同意的，以為她只是一時興起，等過了那個熱度，自然就回來了。但賢度卻認真地收拾簡單行李，準備前往人生的下一站。

母親問她：「你真的要去嗎？」

賢度很肯定地說：「對，我找到師父啦。」

賢度補充說：「我說找到師父，並不意味他就會當我的師父，而是我真正見到一位什麼叫師父的人。」

母親見她心意已決，便讓賢度的哥哥開車，陪同一起到台北華嚴蓮社探個究竟，也好放心。一去見到妙果教務主任，她仍對賢度說：「這學期快結束了，你下學期再來。」

賢度直接回說：「可是不需要等呀，我現在就可以讀了。」

母親順勢將賢度拉走，說：「走，我們下學期再來。」想說等到下學期還有個轉圜餘地，就把賢度拉上哥哥的車返回宜蘭。

當車子開到台北火車站前一個紅燈停下來時，一個內在的聲音響起，賢度轉頭對母親說：「我不要回去。」

母親急著說：「你不給自己留一條後路嗎？」

賢度果決地回答：「我要往前走，這就是我的路。」

說完，打開車門下車，然後攔上一部計程車返回蓮社，妙果教務主任一看：「怎麼又回來呢？你家人呢？」

賢度拜託妙果法師：「看是怎麼樣，就請幫我安排上去吧！」見賢度這麼堅定地想上課，妙果法師只好同意：「那你就上去跟著一起聽課，看看聽得懂聽不懂。」

賢度來到蓮社五樓的佛學院大學部教室，整個環境猶如民初江蘇道場的傳統古風氛圍，窗外柔和的陽光返照在一張張桌椅上，一班將近三十位學生們坐在課桌前，仔細聆聽台上講師的傳授，一切如許寧謐而親切。再度回到學子身分，成為大學生的賢度就在一九八五年十二月二十六日至一九八七年九月，完成她在佛學院第三屆大學部的學業。

「我跟著念了兩個月，覺得駕輕就熟，之前錯過的課程也能跟得上，在大學部學習了《華嚴經》、佛學概要、《大乘起信論》、《五教章》、比較宗教學、《成唯識論》、禪學、印度哲學、天台思想、戒律學、《古文觀止》、佛教應用學、英文、音樂等。整體課程內容是相當豐富而充實的，不僅涵蓋佛學領域，也包括中、英語文程度的提升，特別是中文，老和尚很重視的。」

這些學生們也過著學僧般的僧團生活，軍事化嚴格管理，班長帶領著大家，早晨幾點起床，幾點吃飯，幾點上課，晚上幾點晚自習，幾點就寢，都得按照規定。「梵唄要經過學長的考核，才能執法器；當維那時，獨白的遮那妙體祝文要背誦好，早晚課、佛七儀、三時繫念等都要爛熟於心，華嚴字母更是學生必修。」

為了跟上同班同學已經上了兩年的進度，賢度每天早晚更加認真學習，而為了克服上課或讀書時的昏沉，她開始持誦《地藏經》以消除業障，案桌上也供奉著地藏菩薩像，祈求地藏菩薩加持。有一晚，在昏沉中，忽見宿舍出現一位比丘，將門撞破，把她給嚇醒了，一看案桌上的地藏菩薩像正是剛才的比丘。經此一撞，賢度整個人清醒了，從此她不再打瞌睡。

出家成為賢度

賢度插班至大學部上了一個多月的課後，轉眼迎來一九八六年。民國七十五年的台灣已經朝向解嚴自由的年代發展，一切將有新的轉變，整個社會也更加民主化，更加活潑而有新意。

「我覺得我的頭髮像鋼絲一樣，每天看著抓著，讓我生起捨離之心，想把這三千煩惱絲一併剪掉。見我每天跪在佛前，若有所思，妙果教務主任就問我：『你是不是想出家？』我跟教務主任說：『是的，我想出家，不過我沒有把握老和尚收不收。』」

已屆七旬的成一老和尚並沒有繼承人，什麼事都他親自處理，他收的徒弟們都是早期在宜蘭念佛會跟著皈依出家，但這些徒弟都有自己的道場，無法承接蓮社，也沒能承辦佛學院。老和尚本身也很忙碌，每天忙進忙出，除了蓮社道場、佛學院事務，中佛會、世界宗教僧伽會、美國道場等等海內外諸多弘法工作，皆需要他參與。

一九八五年，他將住持一職交給了中法師：「蓮社可說是我們這一派在台北的開山道場，太師公智光老和尚為第一代，南公老和尚為第二代，我是第三代。我不一定要傳給我的剃度徒弟、徒孫，佛教財產屬於十方僧物，為十方出家人所共有，十方僧人都有權來利用這個道場。當年我住持任期滿了，我就想找住持，想傳給教內有識之士，但沒有適當的人選，就想到了了中法師，他是我的同鄉，也是泰州光孝佛學院先後班同學，比我年紀小十歲。」

於是，聘請擔任中佛會祕書長的了中法師為兼任住持，後來了中法師轉任善導寺當住持；又另聘淨海法師為住持，但淨海法師在美國另有道場，只是掛名，無法常住蓮社。

妙果教務主任一聽說賢度要出家，便主動去向老和尚提出：「老和尚，您考慮一下嘛。您已經找很久，就是度不到理想的人選。」

老和尚還是有點猶豫：「蓮社南老很久以前寫下遺囑，這是男性道場，女眾不能共住。」也因此，老和尚從來沒有打算度女眾，但如今他已經七十幾歲了，也一直找不到合適接棒的男眾弟子。

妙果又說：「您也很久沒有度徒弟，這是個很好的機緣，這位女同學非常發心。」

老和尚想了想，說：「把她的簡歷拿來了解一下，看看適不適合再說。」

妙果再次說服老和尚：「試試看嘛，把她找來談談看。」

成一老和尚接受了這個建議，他把賢度找來問話：「你要出家嗎？」

賢度率直地回答：「如果可能的話。」一心想出家的賢度，並沒有考慮到出家後種種的生活物質條件，只想過著清淨的僧伽修行生活。

成一老和尚見她這般真切想出家，決定收賢度為徒，點頭同意：「好吧，那就選個出家的日子——農曆十二月初八佛陀成道日，記得邀請你的家人一起來觀禮。」

接著選法名，老和尚為徒弟命名時，都以菩薩名號為首，後面為「度」字，意為由該菩薩度化之意。成一老和尚思忖說：「藏度、音度、彌度……都有了，剩下一個普賢菩薩的賢度，好吧，那你就是賢度。」

正式出家的儀式訂在一九八六年一月十七日（農曆十二月初八）舉行，這是賢度重新誕生的日子。短短不到一個月，她進了佛學院就讀大學部，還出家成為成一老和尚的女眾弟子，這一切太不可思議。

出家皈依那天，父親並未出席，只有母親和賢度的哥哥前來觀禮。父親不願出席，畢竟是醫生家族出身的背景，難以接受女兒出家這個事實，當時人們對出家還是抱持著貶抑的態度，認為走投無路的人才會出家。成一老和尚對母親說：「放心，賢度在這裡，不會受苦的。」

臨走前，母親跟賢度說：「帶我去看看普賢菩薩。」母親端詳騎著六牙白象的普賢菩薩，這位大行大定的菩薩，代表諸菩薩的「行願」，與文殊菩薩的「智德」彼此呼應，祂和文殊菩薩立於世尊清淨法身——毘盧遮那佛的兩側，合為「華嚴三聖」。

母親安心地返回宜蘭，但賢度的父親每天在她的房間哭泣。時隔四年（一九九〇）七月四日，賢度從佛研所畢業，當她把畢業論文寄回家給父親，父親竟然主動對母親提出：「走，我們去看師父，跟師父見見面。」

賢度的父親一見到成一老和尚，完全折服於老和尚的風範，特別是老和尚也是醫學體系出身，他自上海中醫學院畢業，還做過中醫義診。兩位醫生相談甚歡，讓賢度的父親徹底打破對出家的偏見，成一老和尚對他們說：「謝謝你們二老幫我生一個很好的徒弟。」

自從皈依成為老和尚的徒弟，賢度就開始承擔侍者的工作。她謹守本分，又很聽話，也不隨便開口，老和尚吩咐交辦的事情，每一件都全力以赴地完成，並未有女孩扭捏脆弱的表現。女性先天的柔軟本質及敏銳的穿透力，是非常適合修行，但是女性最大的問題是情緒太多，心念反覆無常，穩定力不夠，也不太能適應、安忍於艱難的處境。

但賢度沒有這些問題，比如老和尚突然交辦要做某個法會，也沒吩咐細節，如何執行，賢度只回一句：「是。」後面的事項就自己研究如何解決處理，從來不違抗師命。老和尚每天辦理各項佛教重要活動，賢度都默默跟在身邊，為師父拍照，寫新聞稿，到了晚上還要對著電腦，看經書寫報告——種種的考驗和磨練，也許是老和尚的一種觀察，他心裡在等——這個人是不是真正能成為他整個事業體的接棒人？

「在眾人面前，老和尚從不嘉獎我，在我當住持之前，也不承認我是他的徒弟，只說這是學生。過去的老和尚架子都很大，不看見你真正成才，是不會承認的。」賢度服侍老和尚整整二十二年時光，直到二〇一〇年五月十四日，九十七歲的老人家決定留在祖庭光孝寺安養天年。即使成為蓮社住持，賢度法師始終是老和尚的最佳得力助手。

「我兼任侍者、司機、編輯，照顧老和尚的醫藥、生活，認真學習，每一項交付的工作使命必達，不負期望，因為他是我的師父。」這也歸功於她天生安忍、安住的心性，不抱怨、不起瞋心，獨立、堅毅，默默地承擔起老和尚傳承的佛教事業。賢度法師和她師父間的情誼，為我們展現最美好的師徒之間的信任，唯有如此，才能將傳承的法脈薪火不斷地相傳下去。師父信任徒弟，徒弟信任師父，一個師父和一個徒弟的彼此理解，看似什麼都沒有，但一切盡在空中。

高雄元亨寺受戒

一九八六年十一月三日至十二月四日，賢度前往高雄元亨寺受戒，參與了一次台灣佛教歷史上的空前盛會。此次為元亨寺首辦的三壇大戒，規模恢弘，戒場森嚴，得戒本師白聖長老偕同各大長老、諸多法師們為戒師，共同培訓五百五十位來自海內外的戒子，堪稱當時佛教界的大事。誠如擔任書記的聰慧法師所述：「本次戒會所禮請之尊證和尚、戒師、職事人員之多，遍及海內外，乃屬空前少見。」

在元亨寺網站上如此記載：

台灣於戰後外省法師來台後，開始展開傳戒的風氣，一九五二年（民國四十一年）冬，在台南大仙寺開辦光復後第一次的三壇大戒。元亨寺為了慶祝大雄寶殿落成，亦發心舉辦「護國三壇大戒」，以維護佛門聖地的戒德莊嚴。於一九八六年（民國七十五年）十一月三日（農曆十月二日），假高雄市元亨寺建立戒幢，啟建傳授出家三壇大戒及在家五戒菩薩戒，以弘揚毘尼，紹隆佛種為開戒之目的。

禮請白聖法師為得戒和尚；演培法師為羯摩和尚；了中法師為教授和尚等為三師和尚；淨心法師為開堂和尚；菩妙法師為依止和尚；尊證阿闍黎為：悟明、靈根、覺光、超塵、成一、浩霖、宏慈、真華、開證、廣元、廣仁、妙廣、聖印、妙湛、傳妙、然妙、法智、惟覺、如悟、心平、達能等二十一位大和尚；引禮法師為心淨、圓宗、本覺、本靜、慶定、會本、悟中、會寬等八位法師；引贊法師為明宗、明虛、如德、密定、如釋、天機、覺空、明偉、明弘、會明、會禪、悟仁、法照、順空等十四位法師；知客為：能定、詮定、信定、慧鈺等四位法師擔任。來自海內外受戒的戒子計有五五〇人，可謂盛況空前。

受戒期間，在開堂和尚諄諄教誨下，行、住、坐、臥四威儀，已逐漸達到行如風、站如松、坐如鐘、臥如弓之標準。開堂和尚從《毘尼日用》、《沙彌律儀》到《梵網經菩薩戒本》逐一作詳細的解說，讓戒子對於制戒的因緣，及持戒之重要皆有進一層的認知。所謂：「守得如來清淨戒，菩提種子自開花。」在清淨的戒行中，自然能成就無上菩提。戒子們每天都在求戒、禮懺中得到法喜，雖然身體上很疲累，但心中充滿著「寧可一日持戒而死，不願一世無戒而生」的法悅。

此次為期三十二天的戒期，賢度擔任班長，負責照料全班戒子。但戒子們良莠不齊，許多年長出家者在受戒過程中習性難除，讓她深感修行應當趁早，也慶幸自己及早出家，可以一心專注在某件事上。人生真的太短暫，這些戒律光是修持，就要費上多少工夫。「光是比丘尼戒就有三百四十八條。」賢度法師笑說。

三十二天的戒期也算是一個團體閉關期，開堂和尚十分嚴厲地鍛鍊戒子們的舉止威儀，務必散發做為一個出家人的靜定氣質，心也要調伏為出家人的清淨離垢。這讓賢度對於出家人這個身分，更有嶄新的體會。

從元亨寺受戒開始，她更體認到「不持金銀，以十善為根本性戒」，因為一切都有因果的，特別是不偷盜，不可侵損常住。在她一九九〇年九月一日接任佛學院訓導後，就開始以身作則奉行持戒：「如華嚴初祖杜順和尚嘗將道履一雙，置於市門，三日不失。有人問其故，師曰：『我從無量劫來，未曾盜人一錢。』群盜聞之，皆惕然悔過。這是祖師持不盜戒的現世果報，在生活中慢慢印證這些因果，你會更深信因果。」

三地菩薩的發光地，那無限的光明照遍世間，對於一切有為法——無常、苦、不淨、不安穩、敗壞、不久住、剎那生滅……種種實相，都能安忍以對，並讓慈悲發光，讓善良發光。有些人總是遇上相同的好事，有些人總是遇上相同的壞事，無論如何，守護自己的心，守護自己的念，守護自己的行為，安住每一刻，在每一個境界中安忍自我，慢慢透過戒律剝除塵垢，這顆本具光明的內在寶石自然就會發光了。

第四章

焰慧　第一位女住持

華嚴福慧雙焰

成一老和尚的太師公智光大師早年在南京的祇洹精舍與太虛大師同學，他們那一代的民初學僧，都是帶有理想性的知識青年，他們提出「人間佛教」理想，倡議僧侶教育，革新過去出家人趕經懺的陋習。後來智光大師在上海哈同花園月霞法師創辦的華嚴大學就讀，華嚴大學後因故遷往杭州海潮寺、常熟興福寺，但也培育了智光、常惺、靄亭等諸位大德高僧。華嚴的傳承從智光、南亭長老一脈相傳，延續至成一老和尚，乃至在台灣發光。

這把超越鳳凰之火的華嚴火焰，它綻放的焰慧不僅是智慧之焰，也包括福德之焰，是福慧並具的雙生火焰。

成一老和尚來台後為了弘揚佛法，一開始做的事是流通佛經，成立覺世圖書文具社，其次就是辦雜誌。辦雜誌一直是文化界知識分子的一種理想，繼承師長的佛教文青特質，他先是鼓勵東初法師辦《人生》雜誌，後來和張少齊居士合辦《覺世旬刊》，並與星雲法師一起編輯，五年後交由佛光山接辦。一九六二年，聯合演培、星雲、廣慈諸師創辦《今日佛教》後，一九八五年一月十日創刊的《萬行》雜誌，就由華嚴蓮社自己發行。

《萬行》雜誌的創辦，十足象徵著「華嚴專宗」的精神。其命名的概念源自：「修學華嚴，應以『普賢萬行』為準則。」同時也符合古德所言：「菩薩修萬行因華，以莊嚴一乘佛果」之華嚴宗趣。《萬行》雜誌於一九九六年改版，目前仍是華嚴蓮社弘揚佛法，與信徒間交流的重要刊物。奇妙的是，《萬行》雜誌發行的那一年，亦是賢度來蓮社與老和尚初識的同一年，只是前者為年初，後者為年尾；而「萬行」這兩個字，其內涵和意義也與「賢度」法名精髓一致，是一種冥冥中的巧合。

成一老和尚曾說：「佛教主要修行的內容，第一要有智慧門，第二要有福德門。所謂『福慧雙修』是成佛的要因；『萬行』是普賢菩薩指導善財童子修學佛法的內容。」

善財童子五十三參是一幅敘事優美，且富有寓意，如卷軸般的佛教文學故事，出自八十卷《華嚴經》之後二十卷〈入法界品〉。

那次講經在兩千多年前，文殊師利菩薩受佛陀指派，於孟加拉灣的繁榮大城福城主講。說完法後，有一名十六歲的青年留下來了，他是福城的首富之子，名叫善財，他為追求真正的解脫之道，出離三界流轉之苦，而求教於文殊師利菩薩。

經由文殊師利菩薩的指點，為學習「菩薩云何學菩薩行，云何修菩薩道」，而展開一場奇幻的參訪之旅。他翻山越嶺，走遍天涯海角，從王宮殿堂到尋常百姓之家，一一拜見五十三位善知識：菩薩、比丘、比丘尼、優婆塞、優婆夷、童子、童女、天女、婆羅門、國王、王妃、仙人、醫師、航海家、商人等等各行各業，請他們各自傳授一個智慧法門。

到最後參至彌勒菩薩的巨大宮殿，重重無量的廣博樓閣，卻無門可入，後來彌勒菩薩為他彈指開門，引領他參訪這等同虛空的無量樓閣，聽聞種種不可思議的微妙法音，得無量諸總持門。彌勒菩薩說：「你已經圓滿了參訪善知識的旅程，但你還需再請文殊師利菩薩為你做智慧門的印證。」

當善財猶豫如何才能再見文殊師利菩薩，文殊師利菩薩即以神通伸出右手過了一百一十由旬距離，摩善財童子頭頂，為他開示妙法，並說：「佛陀左右有一位普賢菩薩，是福德門的大聖者，你去參訪他。」普賢菩薩代表著佛的行願，其所乘坐的六牙象王，象徵著荷擔如來家業，能排除一切障礙而成正覺。善財童子便高興地前往參拜，接受普賢菩薩傳授的入不思議解脫境界，完成成佛之旅。

《華嚴經》的四個次第：信、解、行、證，統合於善財童子五十三參的故事之中，也意味著福慧雙修——融合文殊師利菩薩的智慧圓滿及普賢菩薩的福德圓滿。信、解、行、證不僅為善財童子指引一道解脫之門，也同時為賢度法師指引一條綻放華嚴焰慧的途徑，不僅是智慧的學習，還有願行的實踐。而焰慧綻放的關鍵就在於堅定不已地精進努力，一如善財童子不辭千辛萬苦參訪的決心，精進即是四地菩薩（焰慧地）修行的智慧。

繼續精進不懈

最早華嚴專宗學院創辦時，擔任院長的成一老和尚，聘請當時一流名師前來授課：真華法師、聖嚴法師、明光法師、寬謙法師、昭慧法師、許洋主、游祥洲、張廷榮、陳一標……等法師、教授，皆為一時之選。成一老和尚自己講授《大乘起信論》、《中國佛教史》、《八識規矩頌》、律學、禪學等課程；南亭長老專講《華嚴經》外，亦每日為學生開示禪學、靜坐。其他華嚴學說相關課程，也全力聘請名師授課，顯明法師講《華嚴五教儀、教義章》、張少齊居士講《五重唯識觀》、《三十唯識頌》、張廷榮居士講《攝大乘論》……等。

一九七五年華嚴專宗學院開辦時，全台佛學院總數大約不出五家，僅有佛光山、屏東東山寺、新竹壹同寺較早設立。而華嚴專宗學院等同一般大學，是四年制的，課程和一般佛學院也不同。在課程方面，聘請當時文化大學的李志夫教授策劃，再和教師們——真華法師、聖嚴法師、慧嶽法師等人一起開教務會議，把課程排訂下來。

出生於四川的李志夫教授，原本軍旅出身，來台後退役考取文化大學，後至印度大學留學三年，返國後回文化大學教書，負責籌設文大印度研究所。他全心投入於佛教思想與哲學的研究精神，備受推崇。也以其學術專業，活躍於佛教教育界，協助規劃華嚴專宗學院的課程，亦陸續推薦聖嚴法師、星雲法師任中華學術院佛學研究所所長。後來從文化大學退休後，受聘為中華佛學研究所所長，亦為法鼓人文社會學院的籌備而盡力。

李志夫教授是賢度法師的良師益友，兩人從佛學院大學部開始，就建立一段美好的師生因緣。

一九八七年九月，華嚴專宗佛學研究所第二屆招生時，賢度通過入學考試進入佛學研究所就讀，繼續深入浩瀚的華嚴大海及佛教智慧，同時也開始承擔佛學院的教務工作，成為一個福慧雙修的行者。「華嚴專宗學院最初是興辦四年制佛學院（大學部），到了第三屆（民國七十二年七月）開始，開辦研究所碩士班。研究所在學三年，主要訓練學生能以學術精神，研究佛教高深哲理，俾使畢業後可以有更專門、嚴謹

的佛學涵養。每位同學在畢業前必須撰寫三萬字以上的畢業論文。」（以上參見《成一法師訪談錄》）

賢度法師補充說：「研究所三年必修七十八個學分，從早到晚上課：《華嚴經》、華嚴學、隋唐佛教史、中國哲學、印度哲學專題研究、《異部宗輪論》、《阿含經》導讀、《俱舍論》、《瑜伽師地論》、《中論》、研究方法學、佛學英文、日文、梵文。」

一九八七年九月到一九九〇年七月，賢度在攻讀研究所期間，又兼任佛學院教務工作，因原來的教務主任妙果法師被派到桃園僑愛佛教講堂當住持。僑愛佛教講堂是成一老和尚一九六二年應桃園大溪眷村信眾要求所創立的，除了念佛、研修佛法、華嚴供會之外，也做冬令救濟等慈善事業；另附設僑愛兒童村，一九八五年更設立華嚴專宗學院先修班，並陸續重建佛殿，成為具叢林制度的正統寺院。

「妙果法師調走後，老和尚一句話：『教務處現在沒人你去接。』指派我承接佛學院的教務工作，也沒具體說明該怎麼做，就讓我自己去摸索，這是老和尚給我的淬鍊，我也是膽子很大，初生之犢不畏虎，一肩扛起這個責任。練習承擔，埋頭做事，從做中學，效法普賢菩薩的精神。但白天忙於教務工作，自己也要上課，晚上又要研讀經論、做晚課、準備論文書寫，還有老和尚交辦的事務，真是忙得不可開交，我的畢業論文是《華嚴行門具體實踐之研究》。」

行者的力行風範不僅是論述而已，也化為日常的教務工作，不管在課業的學習或在行政方面，還要獨自面對、處理各種突如其來的狀況。「除了幫忙老和尚處理外務，又接了教務行政工作，又要讀書，真的沒時間，所以我的課業和報告全部在寒暑假期間完成，平時上課裡裡外外進出，還要照顧所有學生。有一次流行性感冒，所有學生都發高燒，那時也沒健保，我只好拿出我的護理專業，去藥房買藥，為六間寢室二十幾位學生吊點滴，度過危機。老和尚那時已經八十多歲了，這些事不能勞駕他老人家，只能我自己承擔起來。」

有時，她也得親自授課，「我們蓮社和其他道場不一樣，從智光老和尚開始，都要會講《華嚴經》。智老很嚴肅，不苟言笑，十分重視自修；南老很認真講經，信眾非常多，有許多都是官夫人；我師父對外忙於宗教活動，對內也勤於寫作授課。我們蓮社的出家人不能講《華嚴經》，就沒資格當華嚴人，信徒也聽習慣了，連佛學院學生也要上台講《妙慧童女經》。後來我也開始講『華嚴七處九會要義』，一邊參考各種資料，一邊聽南老的廣播節目錄音。老和尚總讓我一路自己去摸索，從做中學，不給我下太多指導棋，這是他成就我的方式。他聽說我去講華嚴，還認真地把我的講義仔仔細細看了一遍。」

在佛學院的教務工作上，李志夫教授協助她最多，讓她至今感懷於心。賢度法師回憶說：「李教授在文大任教，對於教學行政很有經驗，不論行政或是待人處事方面，他都鉅細靡遺地教導我，讓我很快能上手。他是個十分謙虛有禮的學者，一生都奉獻給佛教的學術研究。即使我當時還不到三十歲，他也都恭敬地尊稱我『法師』。有時我會開車載學生去他家上課，後來他到法鼓山協助創辦法鼓大學，與蓮社始終都保持友好的情誼。

「佛學院辦學十分嚴謹，師資優秀，教學認真，這要感謝李志夫、高柏園等諸位教授，在管理上設有教務和訓導兩處，採學生自治，並使學校叢林化，因此培育出許多傑出校友。不過一開始老和尚本來是要辦男眾佛學院，因為是男眾道場，但男眾招生困難，應考生大部分是女眾，這是時代的趨勢，台灣佛教的出家眾也以女性為主流。」

今日，台灣女性出家眾已成為新時代獨立女性的典範，她們聰穎且具高學歷，積極在靈性上開拓更多未知的領域，契求心靈的開悟及解脫，勇敢擺脫情感上的依賴與束縛，並脫去世俗對女性之美的評價。斷捨離對這世間，對飲食衣物的迷戀，回歸自然和簡樸，精進修行戒、定、慧，勇於承擔事業。說起來賢度法師是台灣早期走在這條女性出家修道上的先鋒。

成一老和尚曾細數歷屆佛學院學生，畢業後的卓越成就，很為之驕傲：「第一屆的觀慧法師被聘任為高雄元亨寺夜間部主任；會容法師曾任台南開元佛學院教師；妙果法師留學日本佛教大學歸來，接任本佛學院教務行政工作；而賢度、明度法師也先後擔任本院院長、副院長……。」

這些努力的奮鬥結果，其實也來自賢度的自律：「我知道我要做到什麼，從佛學院大學部開始，我就一直埋首苦讀，沒空交朋友，做人際關係。每天的路線不是從宿舍到教室，就是從教室到宿舍，離開濟南路，也不知道要去哪裡。有時低頭看《禪門日誦》，看到發愣，盤腿一坐幾個小時，後面有人走動我都不知道，被同學們笑說六樓的教室有個木頭人，我就是這麼認真。」

百忙中，賢度仍精進不懈地禪修、念佛、靜坐，尤有甚者，為求斷捨離，她一字一拜誦完整部〈世主妙嚴品〉，期待華嚴思想為世界帶來和平與新機。〈世主妙嚴品〉內容談述「三世間融合，佛菩薩眾生平等，展現關懷包容的廣闊心胸」。古老的佛法因應現今世界全球化趨勢下的生存危機，並無差別，比如氣候暖化的大地反撲，東西方的宗教、文化衝突等等，要如何化解，提升個人生命的品質與層次，都在經文中教導。

「那陣子我個人也明顯地突破障礙，我嘗試不同法門，地藏法門不可思議地加持之外，有時單純研讀華嚴經論，有時持誦〈準提咒〉。一九八七年到一九九四年我總共持誦九十萬遍，一九九五年到二〇〇二年也是九十萬遍，之後又繼續持誦累計到二〇一八年一百八十萬遍，總回向為宜蘭海印道場申請開發籌建。說來我一生中的修行很單純，專研華嚴經論及華嚴哲學，專修普賢行及法界觀，恆持準提法門為日課，並以華嚴行者為終身職志。特別在我擔任住持後，更實際去執行，也得到不少感應。」

關於禪修方面，同時傳承臨濟禪宗法脈的她，平日也喜歡閱讀禪宗祖師公案著作，並熱愛盤腿靜坐。但是二〇〇五年，她在印度學業將結束前，發生腰椎間盤突出問題，緊急送往醫院開刀後，從此她無法長時間盤坐。不過臨濟禪法重點不在盤腿打坐，而在參悟，倒也無礙。

改革的第一步

在沒有任何預告的情況下，研究所畢業半年後，賢度突然接獲通知，她被任命為蓮社的當家。「我研究所剛畢業，在完全沒有心理準備下，只通知我去開董事會，有事請我幫忙，結果會一開完，就直接宣布我擔任當家。」一九九一年一月二十九日，第三屆第二次董事會通過，聘請賢度為華嚴蓮社第一位女性監院，卻也迎來她首次關於佛教改革的重大挑戰。

「在佛學院當學生時是不能下四樓的，只是下來到齋堂打飯，完全不知道四樓底下的情況。但是當家之後我就得坐在櫃台，負責蓮社運作及所有開銷支出等社務工作。前一天宣布我當家，隔天我就落枕不能動，聽到外頭吵吵鬧鬧，過去一看，原來正在上演五子哭墓和孝女白琴。」

當時佛教寺院應信眾之請，為亡者做經懺佛事超度是習以為常的，蓮社每天早晚也有兩堂超度佛事，四樓以下提供一層一家的場地給外面的和尚掛牌誦經，美其名為和尚，實則為經懺師父，一堂經懺有七位和尚負責念經；另有茶房負責為家屬供應茶水，順便做冥紙、蓮花、往生紙、紙紮等生意；廚房這邊也有三位大廚負責推出精美的「佛事齋」，論辦桌菜計費。

雖說做佛事，但這中間暗藏汙垢，比如茶房多要小費、趕經懺念經太短、太馬虎等等，和家屬發生衝突事件，每天都有投訴，帳房只得居中調停。而每日燒大量紙錢、紙房等，亦造成嚴重空汙。喪家有的不信佛，只當作形式應酬，做法事時不會跟著法師念經回向，顧著一旁聊天喧擾，而這些經懺師組成的經懺團往往為了趕場，半天佛事嚴重打折，隨便趕經就草草結束。

面對每天這種混亂吵雜的場面，對涉世未深的賢度是一大考驗。雖然當家，但她是女眾又才三十歲出頭，別人並不把她當一回事，不但排擠，甚至公然在她面前做些順手摸魚之事。賢度決定與這些傳統陋習對戰，她要用行動去證明，所謂的超度，確實是可以用真誠的心和如法的方式去度化往生者，而非形式化的習俗。她無法阻止信徒們燒冥紙、紙房，眼見焚化爐每天都燒得火紅，地下瓦斯管岌岌可危，只好親自打電話到環保局舉報蓮社製造公共危險，讓環保局前來開罰單，之後她把罰單貼在爐門上當做封條封住。

她也說服成一老和尚：「道場必須走向正軌，做這些經懺無助於正法的推動，而且所承擔的因果太重大了。」幸運的是，她的師父支持她，她不是孤軍奮戰的。成一老和尚放手讓她進行蓮社的改革，並認同她的理念，後來老和尚說：「她擔任監院以來，除對華嚴宗義做了更深入的研究，不時發表一系列弘揚華嚴的專著外，並努力推動各項弘法、教育、文化、慈善等利生工作，任內不僅在制度上做了許多改革，也舉辦許多文教活動。例如：冒著被經懺團圍剿的生命危險，一九九二年六月將蓮社規制改為叢林僧團制度，亦將歷年來的應酬佛事停辦，改以共修法會方式接引信眾學佛。」

這項改革是一項大挑戰，超度佛事與是中國佛教的一大傳統，很多出家人淪以趕經懺維生，甚至不求聞思修學佛開悟，常為人所詬病。以前大陸的大寺廟擁有田產可以自力更生，或者收租維持；在台灣則需信徒布施，或做應酬佛事、超度往生者得到供養。

蓮社開辦以來，以弘法為主，但無法避免信徒們提出超度祖先、消災祈福的需求。從成一老和尚當住持開始，就不應邀外出做佛事，一方面應接不暇，疲於奔命，打亂寺院正常作息；另方面感覺責任太大，佛事做不好，也要背負因果，故而改成在蓮社集體做。賢度法師任監院後，即將佛事都停辦了，改成早晚課回向功德，隨喜供養，減輕負擔，此舉可謂佛教界創舉。

賢度法師說：「放焰口的師父良莠不齊，影響甚鉅，但我把經懺關掉，是冒著生命危險的。」得知將被遣散的經懺團，開始用盡各種方式抵禦不從，後來稅捐處寄來了一封通知，讓整件事圓滿落幕。原來稅捐處要蓮社辦理營利事業登記，因做佛事有涉及營利項目，「我們是道場，不能變成是商場，這封信來得正是時候，就以此為由，付了一筆相當可觀的遣散費，解聘相關人事，也送走那些經懺團。即使他們造謠說蓮社倒閉了，讓信徒別再來，但是對蓮社忠心的信眾還是願意一同努力，將蓮社規制改為叢林僧團制度。」

如今，新時代女性出家眾承擔佛教事業在台灣已成潮流。她們的挑戰除了超越性別的束縛之外，還有對傳統陋習的整頓，並如何運用宏觀的視野，以帶領台灣佛教迎向數位化的無國界網路新世代。

做為前驅者的賢度法師，她的改革過程引領時代，其實充滿了各種想像不到的艱辛，但她仍以接引信眾學佛為主要，毅然停辦蓮社歷年來的應酬佛事，改以隨堂參與早晚課或共修法會方式，為信眾回向往生親眷或消災祈福。此外，法會改以專題方式為信眾開示，加強信眾對佛學聞思修的認知，慢慢隨著時代的開放與進步，佛法愈加普及，人們也慢慢打開「死亡並非結束，而是往生」的認知。

而為了教育信眾，賢度法師除了法會開示外，更特別撰文推廣「佛教徒應如何推動改善社會喪葬禮儀」及「佛教徒如何超度亡靈」。從佛法中，整理出佛教徒超度亡者的正確方式，其影響至今，也可做為當代佛教徒的度亡指南：

站在一個佛教徒的立場，如何推動改善社會喪葬禮儀，實是值得大家關心的一件大事。依據「淨土法門」的做法，是人在彌留時宜有善知識，不論是在家或出家的修行者為亡者說法、誦經、念佛，稱為助念，一直到命終十二小時之後，再移動遺體，為之沐浴、更衣，並繼續以助念代替伴靈。而且，每舉行一項儀式，都用佛法開示亡者，令其一心皈命佛國淨土。當然，最好能有出家僧眾說法開示，否則亦應以同道或同修中的長輩乃至資深的平輩為之。

在七七之內，最好從過世的那一刻起，佛號不斷，是為助念。如果他在世時專修淨土的彌陀法門，當然為他專念阿彌陀佛，由數人或者一人一人地輪流助念。如果沒有任何法門是亡者的專修，當然也以阿彌陀佛聖號為其助念。假如生前已有專修的法門，例如常誦某一部經或常持某一尊佛菩薩的聖號，最好是以他所修的法門為其持誦回向。

以我們中國的習慣，能夠在四十九天每天做佛事，當然最好；否則死後的頭七天或三天，乃至僅僅一天，或者每逢七期的那一天做佛事，都是好的。這要看亡者家屬的人力和物力的條件，可有伸縮增減。萬一人力、物力均不許可禮請僧尼做佛事，就算只有家屬一人，也應該為其誦經；若不會誦經，至少也會為亡者念佛才對。

做佛事必須具備虔誠、恭敬、肅穆、莊嚴的條件，最好是亡者的家屬、親友親自持誦、禮拜佛經、懺儀、聖號。必要時，禮請僧眾做為導師，指導、帶領佛事；壇場則不可吵雜、凌亂、喧譁。

佛事不是儀式，不可把佛事做為葬儀的一個節目來看。家屬親友必須盡可能地全體參加，能夠跟隨持誦最好，否則亦當陪伴、聆聽、禮拜。依亡者親友的虔誠、恭敬，感應諸佛菩薩，以佛法的神力及佛法的道理，給予亡者救濟及開導。因為做佛事就是召請亡者臨壇聽法，化解煩惱的業力，而得超生離苦。

在未轉生之前，為他超度，便能轉惡業的力量為善業的基礎，心開意解、積習漸消，便可超生天界，乃至往生淨土。如果已墮三塗，依親友眷屬做佛事的功德力量，也能減少亡者的痛苦，解脫三塗的果報。如果已生天界，也能增進亡者在天上所享的福樂。如果已生淨土，也能使他蓮品高昇。即使在四十九天之後，當然還是可以做佛事，同樣可使亡者得到超度與救濟的力量。

根據《地藏經》的記載，若要超度先亡眷屬，應該恭敬、供養諸佛菩薩，讀誦、受持諸種佛經。如依照《盂蘭盆經》的記載，應該布施、供養出家僧眾。綜合而言，以亡者親屬的立場，用亡者遺留的財物，盡力布施，供養三寶，救濟貧窮，利益社會，乃至等施一切眾生，使之離苦得樂，都是促成亡者超生離苦，往生佛國的助緣。

正確的佛教葬儀，除了司禮者之外，主體應該是出家的法師為亡者誦經。參與的大眾，均應人手一冊佛經跟著持誦。持誦的內容，最好是簡短的經文及偈頌，例如《心經》、〈往生咒〉、讚佛偈、佛號、回向偈等，不用唱，只用誦；否則，大眾無法隨唱而無參與感。然後由法師簡單地介紹亡者的生平及其為善、利人、學佛等的功德，並做簡短的開示，一則度化亡者超生淨土佛國；同時安慰、啟發亡者的家屬、親友。

不論是火葬或土葬，凡有儀式，均以念佛、誦經、回向代替由家屬輪番舉哀哭泣、音樂等的鋪張。且特別不允許在喪葬期間，以殺生的葷腥招待親友，更不可以酒肉來祭祀亡者。靈前則以香花、蔬果、素食供養。花藍、花圈、輓幛，亦當適可而止，最好除了喪家的代表性親友致送數對花籃以及數幅輓聯、輓額以表示悼念之外，不需要大肆鋪張。

以佛法的觀點，厚葬是沒有必要的，鋪張的葬儀也是多餘。與其以亡者的財物及親人的力量，做虛有其表的所謂哀榮的排場，不如拿錢去供養三寶、弘揚佛法、布施貧窮、利益眾生、功德回向亡者以資冥福，更合乎佛法。喪葬宜力求莊嚴、肅穆、簡單、隆重，否則不是佛事，而是藉亡者的喪葬儀式來顯示喪家的虛榮而已。

——摘自賢度法師著〈佛教徒應如何推動改善社會喪葬禮儀〉一文

重建蓮社新貌

一日，成一老和尚來找賢度，跟她說：「當家，我要跟你分家。」

原來經懺剛剛停下，賢度見整個蓮社多年來被煙薰得烏漆墨黑，必須重新粉刷，使之煥然一新，同時地下室的地藏殿原來擺放骨灰盒的舊長木櫃，也需換裝鋁合金堅固整齊格式，呈現簡雅肅穆風貌，讓信眾前來祭拜時，更增恭敬之心。但經懺才剛停辦，收入頓失，又付出大筆遣散費，加上整修支出，老和尚擔心蓮社入不敷出。

賢度向師父信心喊話：「沒問題的，師父，南老會加持的。」

每當賢度改革遇上阻礙時，冥冥之中祖師加被，她彷彿聽見二樓有南老嘆氣的聲音。在心情沮喪時，空中也總響起「再試一下」的歌聲，鼓勵她不畏艱難地前進。是的，面對挫折時是不容易的，但是面對挫折，還是繼續保持熱情往自己的生命理想方向前進，才更是不容易。

精進的意義是什麼？

精進不僅是佛教六度波羅蜜之一的名詞而已：以身體力行善法，勤斷惡根，對治懶惰鬆懈，它更是一種向上的力量，勇敢無畏的特質，這來自於對於善的希望與熱愛——我們為了善而願意奮發，願意世界更加美好、和平。

成一老和尚一聽，只好回答：「隨你，隨你！」做為認可。

為避免打擾老人家，她利用老和尚出國半個月的時間拚命趕工，完成整修工程。自己將一個個骨灰盒請下來，方便工人施工，等骨灰櫃建造完成後，再一個個安置好，啟建安靈儀式。某天一位家屬衝來蓮社，對賢度說：「媽媽大哭大喊，說房子被拆了，是怎麼回事？」

賢度解釋：「沒拆沒拆，是讓媽媽改住更舒適的環境。」

整修地藏殿的善心善意，漸漸感動更多信眾。有位中年女居士的女兒因情傷自盡，骨灰放在蓮社地藏殿，她自己終日哭泣。某天做夢夢見女兒頭痛，來找賢度商量。賢度請她找個中醫煎碗中藥湯祭拜，同時為她開示：「你要放下執念，不如來蓮社廚房做義工，心裡也有個寄託，法會連十天誦經，廚房原來的大師傅已經遣散，現在沒人做齋飯，你來幫忙吧。」

女居士立刻點頭同意：「師父，放心，我十天都來煮。」果然圓滿地完成這項重大任務，事後她說：「其實當時答應時也不知道能否勝任，就是一股勇氣，但是煮的時候，好像有如神助似地手腳特別快，現場也有很多同修一起協力相助。」這位女居士經此一事，漸漸放下對女兒逝去不捨的憂傷，成為護持蓮社的義工。

其他令人感動的事蹟也一一出現，讓賢度更感走在正道時，護法神是無所不在的。比如信眾中的一對姊妹，一是總務，一是會計，她們自願做義工來幫忙，做為對蓮社的回報，賢度不願讓她們做白工，先支薪一半，其餘等寬裕時再給付。

而原本一些資深的信徒，來辦超度經懺時，總有茶房茶水伺候著，現在蓮社佛事改為共修，她們來參加法會，見賢度在廚房張羅義工們洗菜煮飯，即使貴為官夫人，也都放下身分，一個個穿上圍裙去洗碗，又默默出錢出力發心供養。在法會時領略的聞法受益，也使信眾們對出家師父愈加恭敬，每天都來虔誠做功課，跟著共修、皈依，慢慢對佛法的正知見也有進步，就這樣蓮社摒除陋習，反而益加壯大起來。一九九二年二月，賢度法師進一步成立菩薩學會，發展共修及助念救濟、弘法等工作，以成一董事長為導師，她任會長，期望能大力宣揚正法，加強對信眾的服務。

六月，蓮社的規制從原來經營十七年來的經懺道場，正式改為叢林僧團制度。以兩序大眾住持道場，令正法常住，並讓所有僧伽們能精勤道業、學業，致力於弘法、教育、文化、慈善等自利利他的利生工作，使蓮社成為僧眾清修和信眾共修的莊嚴道場。九月一日，賢度受聘為華嚴專宗學院副院長兼訓導主任，這意味著她的承擔更加艱鉅了。

華嚴思想及佛法的推廣，是她擔任副院長時因應時代潮流的理想。一九九〇年代是台灣在二十世紀最為富庶繁榮的年代，人們不僅追求經濟上的安定，對心靈的安定更加渴望。從最基礎的紮根開始，讓教育界更多的老師認識佛法，她發起「暑期教師佛學研習會」活動，從一九九三年七月起到二〇〇五年七月，連續舉辦十二屆。每屆六天的會期中，有如一場沐浴法雨的洗禮，近百位來自各級學校的老師踴躍參與。除邀請知名教授、法師教授華嚴宗史，賢度法師也親自講授華嚴學，佛學概論、八宗教義、佛教史、生命關懷等，並由諸法師教導梵唄、佛教禮儀等。

這些擁有知識背景的學員們一旦領受法味，所播下的佛種，成熟茁壯起來是更快速的，除了自己內在境界更加提升外，也能發揮在教育學生時給予正面影響。許多教師們在研習會結束後，正式皈依成為三寶弟子，乃至發心出家，像後來擔任華嚴專宗學院的副院長——天聞法師就是這樣出家的。

在相關教育界的延伸活動上，賢度法師任住持後，一九九四年起繼續推動三屆的「教師禪學研習班」及七屆的「兒童佛學夏令營」；為鼓勵大專青年學佛，更提高了大專佛學獎學金的額度[注1]，同時力促獲獎的佛學論文集出版。

第一位女眾住持

懷著滿腔的熱情，賢度繼續奮進。

一九九三年十月十六日，成一老和尚為延續法脈傳承，於華嚴蓮社舉行傳法典禮。賢度法師正式成為成一老和尚座下，受法為千華第二十六代，南山律派三十八世，內號續因；華嚴宗三十七傳，外號思齊；臨濟禪宗第五十三世，法名了行；觀音禪寺第七代，法名賢度。

一九九四年十月十四日，三十三歲的賢度法師正式接任台北華嚴蓮社第六任住持。成一老和尚談及此事的緣起：「在了中法師和淨海法師擔任華嚴蓮社住持期間，我也十分忙碌，海內外不斷奔波，擔任許多職務，分身乏術。之後也找不到適當的人選擔任住持，我的剃度弟子賢度剛好佛學院、研究所都畢業了，就在一九九四年，我將住持之位交給她來擔任。」（見《成一法師訪談錄》）

回想起答應師父擔任住持時，那份必須有男兒擔當且義不容辭的心情，賢度法師說：「了中法師和淨海法師先後掛名蓮社住持，但都無法常住，師父一直找不到合適的男眾法師續其法脈。以前住持三年一任，連續兩任，一時沒注意，發現時效已過，必須要有新住持。當時我是當家，師父說：『我是做多少冒險，你自己看南老遺囑：傳法不傳女眾。我沒辦法跟他交代。』又說：『算了，我要跟南老請示，我得違背他的意思，住持就你接下來吧。』我說：『好，師父，我會努力，你就把我當男眾使。』這是一個承擔，想像我就是一個男兒，師父還說：『這個擔子，你要做到讓信眾有天說，男眾、女眾沒差，女眾做得比男眾好。』」

得知賢度接住持時，李志夫教授鼓勵她：「你是台灣最年輕的住持，加油。」那時賢度三十三歲，又瘦又小，交接典禮後，有位老信徒懷疑地對她說：「我實在想不懂老和尚怎麼把住持交給一個小師父，你真是何德何能呀。」帶著懷疑的眼光拍下了紀念照，卻從此不來蓮社。

賢度心中暗自期許：「師父，我不會讓你後悔的。」今日的賢度法師早已證明自己不負成一老和尚所望，她說：「我不是好勝，我沒有選擇，因為我師父沒有其他徒弟可以接棒，我能怎麼辦，我只能認命，一肩扛起，無愧祖師。」

抱著當仁不讓的決心，為履行不能辜負南老的承諾，證明女眾不比男眾差，擔任住持的賢度法師以除舊布新、建立僧團為志，而做為女性修行者新時代的典範。她更自我勉勵：「要成為踏實認真的菩薩道行者，以無我的出世精神，做入世濟眾的事業，效法《華嚴經》中最忙碌的普賢菩薩。並與時俱進，順應時代，心懷菩薩慈悲胸懷，依佛教經典，啟發本具智慧，融通事理，勤修福慧，以四攝法，方便接引眾生，堅守佛弟子本位，以弘揚佛法為正行，從事教育、文化、社會慈善等工作為助行，達到自利利他的目的。」這是她的座右銘。

蓮社的躍升

賢度任住持後，首先思維的是蓮社的空間如何擴充。

不管是佛學院學生或是蓮社信眾，都呈現蒸蒸日上的局面，這是大眾有目共睹的。但由於住眾人數不斷增加，原來的道場空間已嚴重不足，從賢度任當家再到住持，於一九九〇年至一九九七年的八年期間，她分次、分層購買位於蓮社後方，面向臨沂街的五層樓房，以解決住宿及空間窘迫的問題。這個過程也有如神助般，一般人想來難以達成的任務，竟然奇蹟似地所有困難一一迎刃而解。

一九九〇年先購置二樓，一九九二年又購一樓和地下一、二樓，做為八十歲老和尚的起居室，方便照顧老人家。為了將錢省下來購買沙發等生活用具，賢度帶著徒弟們自己粉刷牆面。

一九九五年，原住四樓的住戶夜晚常有大蚊子出沒，丈夫經商失敗，公司也倒閉，他們主動來找賢度法師，要把房子賣給蓮社；而五樓本來也要購入，卻因一對退休老夫妻出高價搶房而不了了之。但老夫妻入住後，莫名連遭小偷，身體也不好，一九九六年決定把房子讓給蓮社，搬離此處。一九九七年，三樓也順利購入，購置的五層樓建築前後打通後，使蓮社的整體規模愈加寬敞。

一九九五年，賢度法師決定為華嚴蓮社外觀重新做整修，她說：「一九五二年華嚴蓮社創建時為平房。一九七五年，老和尚將華嚴蓮社改建為大樓使用。歷經二十年不僅外觀老舊，水電管路更是嚴重漏水，所以我任住持的第二年，就重新整修蓮社外觀和內部從地下一樓到六樓的硬體設備，工程期歷經六個月，使蓮社的體制及外觀徹底嶄露全新風貌。但在工程期間意外發生一場小火災，幸好夢中的預警，使我們幸運逃過一劫，許多佛教界長老也都前來關心鼓勵。」

當時，在施工期間，一晚賢度做惡夢，夢見淹大水，圍牆都倒下，醒來時她感到莫名心慌，似乎有什麼事要發生。於是當天，趕緊開支票投保兩家保險公司火險，隔天即發生因電焊時冒出的火星而引發火災，並延燒到三樓房間。除了趕緊報警搶救，賢度也冷靜以對，帶領僧眾跪在一樓大殿佛前誦唸〈大悲咒〉，迅速平息這場災難，之後也因為及時投保，而獲得賠償。

即使這些阻礙，加上承包商逃避責任引起的工程糾紛，也都因無形或有形的貴人相助而化解，讓賢度深信護法神的靈驗。比如：內部裝潢完工後，需添購四大天王畫像，一位老菩薩忽來蓮社，說夢見有四個長相很兇悍的人來找她，賢度拿起四大天王的像給她看，她點頭說是，於是歡喜供養這四大天王的畫像。「四大天王自己去找功德主，這些感應，不得不讓人信服。」賢度法師笑說。

除了冥冥中的感應外，對於老和尚明理，深信因果，願意支持改革；對於資深信眾的擁護，皈依信徒的支持，以及蓮社僧眾、工作人員的和合無私，都是賢度在六年住持生涯中最大的感謝。華嚴蓮社就在賢度法師魄力運作下，整修內外硬體，成立僧團，使之成為一個擁有現代化設備，又不失傳統古風的弘修道場。一九九四至二〇〇一年，在她六年住持期間，延續師長傳承下來的「華嚴佛七」傳統，發揚華嚴思想，更提供僧信二眾一個更舒適的研習修學佛法的空間。此外，落實興辦公益慈善及社會教化事業，秉持佛教慈、悲、喜、捨精神，增進社會福祉，每年興資將蓮社百分之七十以上的收入，用於推動弘法、教育、文化、慈善四項志業，不遺餘力，成果豐碩。[附錄1]

讓我們回過頭說一下一開場的《萬行》雜誌，這本由成一老和尚創辦，取名為「萬行」，代表智慧與福德兼具的華嚴焰慧，在賢度踏入蓮社那年開始綻放。一九九六年，賢度也為它重新改裝了，將原來的報紙形式，改為彩色印刷的期刊式，還擴充編輯室，讓《萬行》繼續發光發熱，將更多焰慧播送到更多信徒手中。

今日我們能在台北繁華的市中心遇見如此一間殊勝典雅的華嚴道場，交通利便且環境幽靜，這是佛教徒的幸福。靈山不在遠方，就在市廛之中，就在你我心中。華嚴蓮社這朵蓮花所示現的種種，不僅深具禪意，更在冥冥中，有一隻巧手早已注寫好一般。似乎也印驗了賢度法師所說「果在因前，是菩薩的修行工夫了」，當一個菩薩決定了此生的精進善行，所有的起因就會自動編碼，集合眾多助緣，導入這個結果。

注釋

1 大學生一萬元，碩研一萬五，博士班兩萬元，每屆一百名。

附錄1

華嚴蓮社公益事蹟

蓮社創社起，即熱心興辦公益事業，深獲社會各界好評。分別於一九九三年（民國八十二年）獲黃大洲市長頒「熱心公益」及內政部「弘教濟世」匾額各一面。一九九四年賢度法師接任住持後，即榮獲內政部長吳伯雄頒「昭德揚善」匾額，與榮獲北市政府民政局頒發慈善事業績優楷模獎、「德風義行」匾額各乙面。此後連續五年（一九九五至二〇〇〇）皆獲績優楷模獎。這些殊榮，不僅代表社會各界對蓮社之肯定，更是肯定了賢度法師在推展慈善公益事業方面所做的努力。以下為賢度法師擔任監院、住持以來的公益事蹟：

一九九一年二月一日，華嚴蓮社自一九六一年元月起，每年實施冬令救濟，發放救濟金給貧戶及低收入者，冬令救濟金由新任監院賢度法師親自發放。

一九九一年二月二十八日，為加強信徒及社會服務特發起成立菩薩學會，並於一九九一年二月二十八日假蓮社四樓召開成立大會，發展共修及助念救濟、弘法等工作，以成一董事長為導師，賢度法師任會長。

一九九三年三月八日，華嚴蓮社榮獲台北市政府民政局頒發八十一年度興辦公益慈善事業績優楷模，業績總額達壹仟貳佰萬元。獲黃大洲市長頒「熱心公益」匾額各一面，由華嚴蓮社監院賢度法師代表領獎。

一九九三年六月二十二日，賢度監院為發揮華嚴蓮社無緣大慈、同體大悲精神，特於端午節前夕，率領著福田功德會成員們，送愛心到浩然敬老院。福田功德會以老人福利金、醫療基金及十大箱營養品等，致贈全體長者，由院長詹德永先生及兩位老人代表接受，詹院長並以一面「嘉惠遐齡」錦旗，感謝一行人的關懷。

一九九四年三月二十三日，華嚴蓮社獲得內政部表揚八十二年度寺廟、教會捐資興辦公益慈善、社會教化事業績優獎，此次為內政部長吳伯雄頒發「昭德揚善」匾額一面，由華嚴蓮社監院賢度法師代表領獎。

一九九四年十一月十一日，華嚴蓮社榮獲八十三年度台北市熱心社會服務有功團體及個人，此次大會受獎有十六個單位，華嚴蓮社是唯一的佛教團體，由台北市政府祕書長吳義雄頒贈「熱心公益」獎狀乙紙予華嚴蓮社，由住持賢度法師代表接受。

一九九五年一月十日，春節拜訪慈善單位，住持賢度法師帶領信眾走訪陽明養護中心，並轉贈春節慰問金。

一九九五年一月十日，時值歲末寒冬，由住持賢度法師帶領信眾，特走訪了聖安娜之家，關懷院童，並致贈一份春節慰問金予該院院童，由其負責人白永恩神父代表接受。

一九九五年一月十八日，急難救助等慈善工作一直是華嚴蓮社努力不斷的工作目標，長期以來推動各項慈善捐助工作，於一九九五年一月十八日與信眾一同到社會局，致贈中正區之低收入戶春節慰問金。

一九九五年三月二十日，華嚴蓮社獲得內政部表揚八十三年度寺廟、教會捐資興辦公益慈善、社會教化事業績優獎，此次為內政部長黃昆輝頒發「淑世昭化」匾額一面，由華嚴蓮社住持賢度法師代表領獎。

一九九五年四月二十八日，華嚴蓮社榮獲台北市政府民政局頒發台北市八十三年度捐資興辦公益慈善及社會教化事業績優團體，由民政局局長陳哲男頒發「汎愛博施」匾額一面。以表揚本蓮社對於公益慈善之努力，由住持賢度法師代表領獎。

一九九六年二月二十七日，華嚴蓮社榮獲內政部表揚八十四年度寺廟、教會捐資興辦公益慈善、社會教化事業績優表揚，此次為內政部長黃昆輝頒發「弘化廣濟」匾額一面，由華嚴蓮社住持賢度法師代表領獎。

一九九七年一月六日，華嚴蓮社榮獲台北市政府民政局頒發台北市八十五年度捐資興辦公益慈善及社會教化事業績優團體，由市長陳水扁頒發「益世興人」績優楷模獎牌一面。以表揚本蓮社對於公益慈善之努力，由住持賢度法師代表領獎。

一九九七年一月十七日，由華嚴蓮社賢度住持率領信眾三十多人，前往桃園復興鄉訪問偏遠地區山地五所國民小學，進行冬令救濟，發放清寒學童獎助學金，學童運動服裝及清寒原住民救濟金，並有米、麵、食油等食物布施，關懷山地學童教育及原住民生活。

一九九七年五月十四日，華嚴蓮社榮獲內政部表揚八十五年度寺廟、教會捐資興辦公益慈善、社會教化事業績優獎，此次為內政部長林豐正頒發「正德化育」匾額一面，由華嚴蓮社住持賢度法師代表領獎。

一九九八年五月二十六日，華嚴蓮社獲內政部表揚八十六年度宗教團體興辦公益慈善、社會教化事業績優獎，內政部長黃主文頒發第一屆金壺獎，由住持賢度法師代表受獎。

一九九九年一月十六日，冬令救濟活動，由住持賢度法師帶領信眾四十餘人，走訪桃園八德市脊髓損傷庇護中心、新竹創世清寒植物人安養院，以及桃園大園鄉私立弘化懷幼院，除慰問外並致贈慰問金，為寒冬添加暖意。

一九九九年六月二日，華嚴蓮社榮獲台北市政府民政局頒發八十七年度捐資興辦公益慈善及社會教化事業績優團體，由市長馬英九頒發「熱心公益」績優楷模獎牌一面。以表揚本蓮社對於公益慈善之努力，由住持賢度法師代表領獎。

二〇〇〇年三月十四日，華嚴蓮社獲內政部表揚八十八年度宗教團體興辦公益慈善、社會教化事業績優獎，內政部次長楊寶發頒發獎座，由住持賢度法師代表受獎。

二〇〇〇年五月二十四日，台北市八十八年度捐資興辦公益慈善社會教化事業績優表揚大會，於下午二時在台北市政府資料館舉行，由台北市長馬英九頒發「博施濟眾」獎座一面，此次由住持賢度法師代表華嚴蓮社領獎。

第五章

難勝　遠赴印度留學

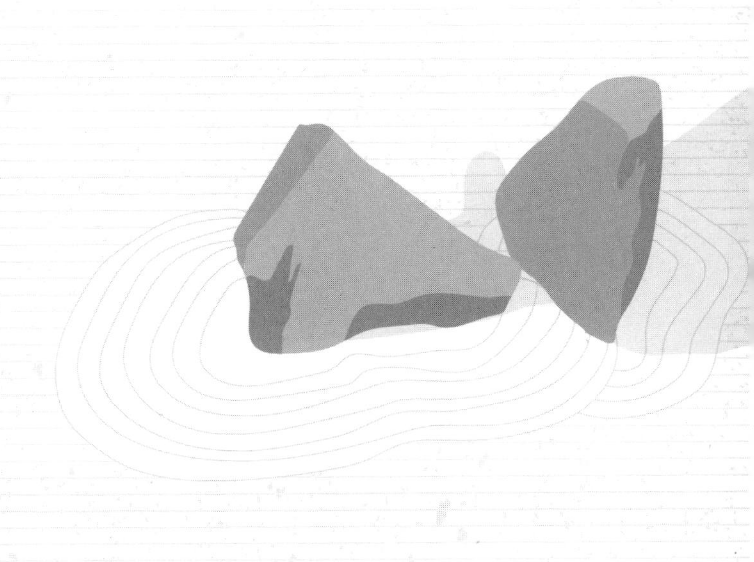

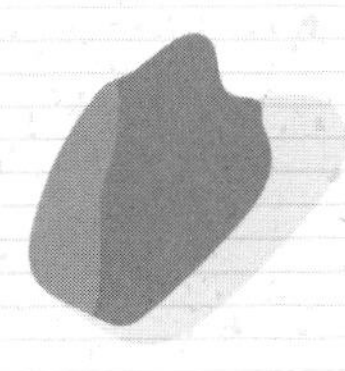

佛陀的開悟

滿月；
無數的星辰；
闇夜的天空。

這首俳句可以形容二千五百多年前，佛陀在菩提樹下夜睹明星，頓悟成佛的場景，那之前他已經禪定靜坐了六天六夜，來到第七個夜晚。在那個晚上，午夜的寂靜瀰漫整個印度菩提迦耶，是超越時間和空間的那種無限靜謐，而佛陀的禪定亦非常深沉，與周遭的靜謐合而為一，甚至連結了整體宇宙的星際。

因著這樣的禪定力，據說在上半夜佛陀契悟了四聖諦，中半夜契悟了十二因緣，到後半夜，也就是黎明之前最深的寧靜，這是獨自一人才能體會到的，而佛陀就在這一刻睜開眼睛，望著天空燦爛的明星，大澈大悟。

根據《華嚴經》所述，佛陀開悟後的第一句話是——他嘆口氣說：「奇哉奇哉，大地眾生皆具如來智慧德相，但因妄想執著，而不能證得。」影響全世界佛教徒的佛教信仰就從這裡開始，但佛教從印度南傳、北傳、藏傳流傳開來了，卻從印度這片土地消殞了，這應該是佛陀始料未及。

歷經兩千五百多年的時間，印度這個古文明國度仍在現代與落後、富裕與貧窮、階級與平等之間拉扯著，形成強烈的對比。著名的文學大師V.S.奈波爾（V. S. Naipaul）形容印度是一個幽黯的國度，當他第一次踏入他夢想已久的印度祖國時，對於初抵印度的印象卻令他驚訝——鄉村狹窄殘破的巷弄，髒亂推擠一起的垃圾、牲畜和人；城市則一邊華燈耀眼，展現高級富裕的觀光景點，一邊則是臭氣瀰漫，戶戶堆疊成團的貧民窟。

面對種種令人怵目驚心的印度現實，他終於明白：「驟然間，我心中感覺到一種寧靜祥和；我終於學會了把自己和周遭的世界分隔開來。」

V.S.奈波爾的這個領悟，或多或少也為我們解釋了：為什麼佛陀會選擇誕生在印度，並在印度開悟成佛的道理。佛陀一再強調眾生平等，眾生皆有佛性——印度長久以來的種姓階級之分，造成社會的嚴重歧視與貧富不均，以及對女性的不公平對待等等問題。要出離這些苦境，必須修練出一顆如如不動的禪定之心，如松林靜默，才能創造內心的淨土。

「當一個人沒有身處苦境，一切都很一般，你會覺得這些日常根本沒什麼，很多潛能是不需要的。可是當你處在一個惡劣的環境，它會激發你的內在本質，它會淬鍊你。」這是賢度法師談及她遠赴印度留學的開場白。

「在講經說法時，我更深入去講〈十地品〉，談到五地菩薩為了要度眾生，重新去學釋迦牟尼佛的四攝法——布施、愛語、利行、同事，甚至連世間所有的學問都去學，然後用各種潛移默化的方便法去幫助眾生。這就是五地菩薩在做的工作，我覺得非常感動。

「後來，為了道場，為了學院整體學術水平的提升，我決定效法五地菩薩，去印度德里大學（University of Delh）攻讀博士學位，前後差不多四年時間。踩上佛陀故鄉的泥土，在那孕育佛陀的聖地，感受偉人出世的殊勝，才真正了解釋迦牟尼為何選擇印度那個地方開悟成佛。

「印度的氣候既潮濕又炎熱，到處充滿喧囂的吵雜聲，又十分髒亂，更別提貧富、階級的嚴重差距。夏天五十度，沒有冷氣，真的太熱了，身體簡直難以承受，但回來後再講〈十地品〉就不一樣，回來後我重新講〈十地品〉，講到五地時就開始同步在落實。」賢度法師說。

華嚴五地名為「難勝地」，此地菩薩修練的是「禪定」，五地菩薩以出世的智慧，善巧運用五明（佛教五門學科：內明、因明、醫方明、工巧明、聲明），隨順世間度化眾生，這是非常難能可貴，所以稱為「難勝地」。

「一地布施給錢財，二地教持戒，三地要修忍辱，四地精進尋求出離，五地則要解決問題。所以五地菩薩要具備五明的條件，將出世的智慧，運用在世間法上面，要入世，五地菩薩要入世是非常困難的，所以要修平等清淨心。」（見賢度法師編著《華嚴經十地品淺釋》）

五地菩薩入世救人，將自己「定」在平等清淨心，無所分別，如果沒有禪定的工夫，那是做不到的，所以這是很難抵達的難勝之地。賢度法師補充說：「此令俗諦有分別智，真諦無分別智，相應並生。心無癡亂為難，五地菩薩願力所持，於一切眾生慈愍不捨，積集福，智助道，精勤修習不息，出生善巧方便，得不住道行勝，能治斷菩薩下乘般涅槃障，五地菩薩不畏生死，不住涅槃。」

印度在召喚著賢度法師，但這也是一段艱難的旅程。

印度留學的緣起

為什麼會去印度留學呢？對賢度來說，這也是一個巧妙而剛好的安排。

二〇〇一年五月六日，四十歲的賢度法師擔任住持的期限已至，她卸下住持一職，將棒子交給第七任的明度法師，並獲聘為華嚴蓮社副董事長。在此之前的一九九九年九月，成一老和尚因感年事已大，亦將華嚴專宗學院院長一職也交付賢度法師接任。卸任住持後的賢度法師，除了繼續華嚴學術研究外，更積極於海外弘法，將華嚴教法弘布至大陸、美國，經常往返兩岸及美國華嚴蓮社，宣揚華嚴教義，亦和其他佛學院多方交流。

一次，「她在聖嚴法師法鼓山佛學研究所，遇見印度德里大學的佛學教授沙洛（Dr. Sarao），相談之後，沙洛教授以為賢度有慧根，應該把握機會多做探討，擴大研究領域，於是鼓勵賢度去印度，她就去印度念書。二〇〇二年八月二日到二〇〇五年三月五日，賢度便在印度德里大學完成哲學博士學位，二〇〇五年初拿到博士學位了，她的指導教授非常高興，專程來台灣參加我們為賢度舉辦的慶祝會。」這是老和尚說起賢度赴印度留學的因緣。

賢度法師進一步說明和沙洛教授如何認識，以及去印度修學的緣起。她說：「二〇〇一年沙洛博士應法鼓山的邀請，來台灣參加學術研討會，他是印度德里大學佛學系的系主任，也是位認真嚴謹的印度學者。我們在這次法鼓山學術研討會認識後，覺得機緣難得，便邀請他順道來華嚴專宗佛研所，為學生進行為期三天『印度佛教史』的專題演講。同時，佛研所有位學生在德里大學讀碩士班，她跟沙洛教授介紹，我們院長很重視教育，希望他在台灣的行程中，能安排到華嚴專宗佛學院訪問，就是這樣的因緣促成的。」

沙洛教授在蓮社大約住了一週，這期間，賢度法師為他介紹蓮社的弘法及教育事業，分享個人修學華嚴的完整經歷，贏得沙洛教授的讚賞，沙洛教授也提到德里大學佛學系、哲學系的概況。當時的教務主任黃淑琴在一旁為他們進行翻譯，由於兩人對於教育都非常具有熱忱，理念一致，相談甚歡。

接著，沙洛教授對賢度法師提出一項建議：「你是否考慮出國念書？將來推動教育工作，學位還是很重要的。」並邀請她考慮赴德里大學攻讀。

賢度法師一聽，愣了一下，早在她當家時，許多人見她年輕有為，都跟她說：「為何不出國念書呢？」但那時寺務和教務繁忙，一時間也抽身不了。現在沙洛教授的提議，讓她再次燃起留學的夢想。

台灣佛教出家僧侶出國留學者，最著名的莫過於聖嚴法師，他在一九六九年，三十九歲時留學日本立正大學，在日本前後待了六年，完成博士學位。此時，賢度法師顧慮倒不是年紀問題，而是：「我當時顧慮的，第一是我的英文不夠流利，第二台北蓮社的事情我放不掉，第三不想花時間學習原始佛教的課程，因為我專研的是華嚴。」

沙洛教授聽完後，很爽快地說：「好！我們交換條件，你來德里大學念書，我當你的指導教授。」

賢度法師思忖：「要學好華嚴，必須身體力行去實踐，不了解的知識要重新學習。在菩薩道的修學當中，必須堅定意志默默耕耘，不得有絲毫鬆懈。為讓本社所興辦文化教育事業能更加發展，必須再進一步深入研究。」

誠如她在碩士畢業論文中所寫：「修行乃是出家人之本分事」、「菩薩道是沒有畢業的一天」。她更深信：「唯有依此華嚴大教的修學與實踐，才能報無始以來難報之恩，才能酬無量劫來難酬之志」。

於是，她決定接受沙洛教授的邀請，填寫一份個人的基本資料，也擬定好論文題目為：「Development of the Hua-yen School During the Tang Dynasty（641 A.D.To 845 A.D.）華嚴宗在盛唐時期的發展史」，並準備好其他學歷等證件，交給沙洛教授返回德理大學後申請入學手續。

這是二〇〇一年二月的事。

前往印度德里大學

當年那個為了讀佛學院，奮不顧身，從宜蘭來到台北，堅持不肯回去，堅持往前進的年輕賢度，似乎再次讓我們在前中年期的賢度法師身上看見了，她再次展現那份求學求知的熱情和勇往直前的決心。她於二〇〇一年向印度德里大學提出申請，在二〇〇二年八月二日獲得佛學系博士班入學許可，預計深造四年完成博士班課程。但獲得入學許可的整個過程，簡直是不可思議，也是德理大學特別的破例。

首先是克服語言障礙，她在入學前加強自己的英文程度：「我重返學生的身分，到實踐大學英文系上夜間的外文課程，加強英文基礎，從文法、發音到寫作，一共七個科目。學習的課程壓力很大，每晚有三個科目，從六點上到十點，回來還要備課，要應付隨堂考和期中考、期末考。上了一個學期，印度校方正好通知，入學的事情要開始準備了。那時，才比較能以英文對話。」

重回學生時代的賢度法師，除了夜晚苦讀，還要忙著編輯《十地品淺釋》工作，常常趁著晚上上課前的空檔，在學校附近的誠品書店坐下校稿。這期間仍要奔波於美國及大陸弘法，學院的《華嚴經》講座也繼續進行著，並未停頓。就在賢度法師為赴印度德里大學攻讀而忙碌時，另一邊沙洛教授的申請入學手續也同步進行，只是遇上一個很大的麻煩。「我是直接申請博士班，但德里大學的博士班申請，並不接受外面的學歷，他們要求學生必須從碩士班開始念起，再申請博士班。而我以華嚴專宗學院的碩士身分申請讀博士班，是過去沒有前例的。」賢度法師解釋。

「當時德里大學的校長是印度第十一任總統，有『飛彈之父』之稱的阿卜杜爾・卡拉姆（Abdul Kalam，1931-2015），但副校長迪帕克・納亞爾（Vice-Chancellor Deepak Nayyar）才是真正在學校執行校務的領導人。當我的申請資料到了副校長手中，他就直接找沙洛教授問：『為什麼你要替這位學生申請博士班？她有什麼資格直接申請？』他質疑沙洛教授利用系主任的職權推薦學生，這中間是否有什麼利益關係？所以他要沙洛教授說明清楚，沙洛教授坦率回答：『純粹因為她的程度夠好，可以直接來念博士班。』但副校長仍要求必須提出一份學經歷證明。」

賢度法師又說：「德里大學佛學系及哲學系，無論師資或學生對漢傳大乘佛教經教、思想都很缺乏。一般都上南傳佛教經論、語言，或藏傳體系課程。所以，專研華嚴的學生對學校來說是很難得一見的。」

於是，沙洛教授轉達賢度法師要準備一份英文版的學歷證件，並附帶照片的修學過程報告，從出家一直到二〇〇一年時的所有紀錄，交到董事會副校長那裡審核，如果二〇〇二年九月前入學許可沒有核准下來的話，就要拖延到下一個學年度。賢度法師見此情況，決定親自走一趟，她跟黃淑琴主任說：「我們直接過去好了。」

「當時也沒有想到要馬上留下來，只是想先去看看，到底申請手續卡在什麼地方。我們第一次去印度，人生地不熟，語言又不太通，印度人的英文口音很重。第一天晚上住在阿育王（Ashoka）飯店，隔天一早就去德里大學找沙洛教授，從此開始了恐怖之旅。」賢度法師幽默地說。

建校於一九二二年的德里大學，就像當年的那爛陀寺一樣，是印度高等學府中地位最高、影響力最大的大學。位於印度首都新德里，是一所享譽國際的綜合性大學，校園占地四四八英畝，德里大學校園之大，繞了兩個小時才找到哲學系辦公室。

沙洛教授見到賢度後，對她說：「抱歉，直升博士班的關卡可能無法突破，你先念碩士班，再進博士班吧！」聽到這個消息，賢度法師擔心待在印度的時間將更漫長。

但碩士班的入學許可倒是批准下來了，賢度法師一方面準備註冊，一方面打電話回台灣，通知蓮社無法回去主持盂蘭盆會的三時繫念，請明度住持處理。結果整個寺院的法師們開始緊張起來，嚴陣以待，因為過去都是賢度法師在主持，他們沒有經驗，賢度法師心想：「這樣也好，他們得自立自強了。」

堅毅果敢的大膽突破之心，再次為賢度法師打開了機會之窗：「我還是不願放棄直升博士班，我想去見副校長，不管他給不給通過，總是去拜訪對方，便和他約個時間直接在辦公室見面。」

這是一場愉快的會面。一開始，賢度法師便向副校長自我介紹是沙洛教授的學生，副校長很客氣地解釋並不是故意刁難，因為學校的程序就是這樣。賢度法師拿出她的資料，一一向他說明自己的學經歷。「他看我很有誠意，之所以申請直接進到博士班的理由是，在台灣及海外還有很多的弘法工作在等著，我很誠懇希望他能夠協助。」

接著，準提觀音有求必應的神蹟發生了。臨走前，賢度法師送了一尊準提觀音佛像掛牌給副校長，一面是準提佛母像，一面是準提鏡，四周環繞咒語，十分莊嚴殊勝，可隨身攜帶，供家裡或車上隨時加持，他很高興地問：「這是什麼？」

賢度法師回答：「這是準提觀音和咒語，念誦這個咒語可以增加福報，可以用念的，也可以用唱的。」

賢度法師接著問副校長：「您想聽聽看嗎？」

副校長有點驚訝，這位台灣來的女眾法師呈現自信的態度，打破他既定的認知，與其他來自未開發國家出家人保守、退怯的風格迥然不同。他點頭同意，於是，賢度法師便唱給他聽。

稽首皈依蘇悉帝　頭面頂禮七俱胝
我今稱讚大準提　惟願慈悲垂加護
南無　颯哆喃　三藐三勃陀　俱胝南　怛姪他　唵折隸　主隸　準提娑婆訶

不同於一般的誦咒，賢度法師以悠揚的古調，優美地唱出〈準提咒〉，如一首滌洗人心的古音重現。副校長聽了印象深刻，很高興地說：「我很喜歡中國的傳統文化，如果還有其他什麼素材可以拿來參考。」賢度法師便將帶來的準提咒語CD和書籍一起送給對方。

這應該是德里大學這座學府，第一次有準提咒語飛入，這個因緣很法喜。副校長當場並沒有同意讓賢度入學，只說：「你先回去，我考慮一下，有消息再通知你。」賢度沒有十足的把握，只覺得交談的過程十分愉悅，滿心歡喜地回到招待所。第二天，副校長已經請學生代表拿博士班的入學許可到招待所交給賢度。這個結果皆大歡喜，因在校享有盛名的沙洛教授，本來就有一批擁戴他的學生支持者，當這群學生先前得知沙洛教授推薦賢度法師直升博士班遲遲未獲通過時，就已經憤憤不平，群起抗議，學生代表還準備進一步帶領絕食活動，以表達對校方的不滿。現在，副校長同意賢度法師博士班入學，正好避免一場絕食抗議。

「這是有史以來，第一位學生自己跑去和副校長面試，未經過碩士班，直升博士班，可說是德里大學第一個先例。後來才知道，原來之前有很多越南、韓國等其他國家的出家人，給他的印象不是很好，不僅教育背景、佛學基礎不齊，連語言溝通能力也不理想，表現出來的自信心都不足。副校長對我說：『其實我們也希望有好的學生能夠來德里大學，因為這是學校的榮譽。』」賢度法師補充說。

真正的考驗

對於印度修學最大的收穫，多年後的今天，賢度法師如此回答：「就是堅定信念，比如這次面試過程，我覺得自信心是很重要的。過去的自我歷練，讓我勇於毛遂自薦去大陸講經，對自己必須有十足的信心，不能有所懷疑，而且要勇於嘗試，爭取機會。也許我不是全方位的樣樣都行，但我就是認真去做。像是英文的學習，要學到比較流利的程度，這過程也是要付出很大的代價。」

一直認為什麼事不會憑空而來的賢度法師，總是透過她的努力，去超越人生的各種門檻。「是什麼力量支持我，再花這麼多時間，重新揹起書包去上學，跟十幾、二十歲的孩子們，一起在學校玩遊戲什麼的。很重要，就是『放下身段』。今天我當了住持、副董事長，在海內外道場略具聲望，但在心態上『放下身段』是不容易，現在就要把那些頭銜和自我，全部打死。不管做什麼事情，都重頭再來，才能重新接觸到真正的世間百態，看見人性的真實面。」

這種放下身段的修行，對一位安居寺院的佛教重要導師是不容易的，就像藏傳佛教明就仁波切二〇一二年忽然消失，獨自像流浪漢游方閉關四年，他要克服的就是微細的傲慢和自我，亦即自地慢的消除。

如賢度法師所言：「每一地每一地的菩薩，比如從四地要進入五地，他必須消除在四地過程中尚未克服的輕微成就感，比如他在三十七道品的菩提分法中，修持得很完整，難免會升起成就感，而進入五地要達到完全平等智，在這過程，他必須用十種平等心去觀察，這就是自地慢的消除。透過十種平等心去觀察，才能進入到無分別智。當然，每一個修行人在他階段性修行時，如果遇上瓶頸，也會有想要突破自我的加行，不管是閉關，或類似我走出冷氣房去印度學習。」

賢度法師接著說：「儘管對台灣的工作有所掛慮，但我後來想，為什麼不趁此機會去了解釋迦牟尼佛出生在印度，創造了佛教，而這是一個什麼樣的國家，什麼樣的歷史背景，它種族的民族性，對於佛教實踐的可能性。對我來說，是以自己的身體和心理，去做極限的嘗試，也是最高難度的磨練，必須克服對環境、食物和人際關係的對待模式，必須學習整個生活型態的改變。而且網路、電器設備什麼都沒有，就是回到最原始的生活方式，把物質條件降到最低。

「在心性上，要去配合完全不同的人、事、物，且環境的差距太大，完全都要靠自己堅定的意志力去支撐。除此，就是靠自己過去的資糧和福報，否則真是不知如何是好，時時處於備戰狀態，不知道隨時會發生什麼事。所以到印度去真的是一大考驗——過去站在台上講得滔滔不絕，講得頭頭是道，那不算什麼——更深刻體會把《華嚴經》的理論，要真能放在自己身上去嘗試，體驗眾生的苦難，親身去實踐，才是真正的華嚴行者。」

適應環境的重重挑戰

走出舒適圈，回到從零開始的起點，這是難以想像的高難度挑戰。尤其，賢度並非當年二十幾歲的自己。「當時內心的衝擊是滿掙扎的，我跟自己說，先安定自己，這是禪定力的訓練，過去十幾年的華嚴修行成為我的支持。」

每日的定課，也協助了她：「我每天固定持誦一部《地藏經》、《準提經》，並受持〈準提咒〉，我的房間一直都放著〈準提神咒〉樂音。就是這些一直陪我度過艱苦的三年，時時刻刻都不離這個法門，反正自求多福了，誰也沒辦法幫你忙。只是一心想著，趕緊把論文寫完，那段時間還是讓我熬過來了。

「我覺得生活困苦，物質條件差，那對我都不是問題，因為走在弘法的修行路上，首先就是要克服外在的環境。過去一下子在這裡，一下又飛去哪個國度，每年也帶著信徒們去朝山，而且都是在寒冷的冬季，到高海拔的西藏或九寨溝等各個景點。出門既要照顧自己，也要照顧別人，自己當領隊，自己開十天的吃飯菜單，路上還要照顧老菩薩，幫別人扛行李，那些歷練都是鍛鍊體力，培養耐力的最好機會，要親自去嘗試才能成為資糧。」

賢度法師的自我鍛鍊從當住持時就已經開始。每年，她帶信徒們去大陸朝禮五大名山，先返泰州祖庭出發，從最南的普陀山開始，一年走一個名山勝地，「去朝山很簡單，但最難是沒有素食可吃，早期大陸沒有素食觀念，一次朝山十天下來，都是青菜豆腐，大家都受不了。我就自己開十天菜單，事先讓地陪去聯繫餐廳準備，有時地方太偏遠沒有餐廳，就隨機看見路邊小店，付錢請他們讓出廚房，自己去菜園拔菜自己燒，自力救濟，這都是親身經歷的臨場考驗。」

申請入學的許可通過後，賢度法師開始辦理各種入學手續。德里大學校園腹地廣闊，各部門之間距離很遠，根本無法步行到達，從一個部門到另一個部門要坐三輪車，而辦理入學手續又很複雜，並不是到一個窗口繳交某些證件即可。外國學生必須做身體檢查，另申請宿舍、繳費等等，都是分開作業，無法在一棟行政大樓就把所有的事項完成，光是辦入學手續就花了整整一個星期。

註冊完後，拿到學生證，還要到內政部、外交部申請學生簽證。一般旅遊簽證只有三個月，但改成研究簽證，即能擁有停留三年的期限，但不可以隨便離開當地。到內政部、外交部的路途比較遠，必須搭乘機車型的三輪車，而戶外十分炙熱，頂著大太陽跑來跑去，簡直是一種肉體的煎熬。

「我一心想趕緊辦完各種手續，申請到宿舍，可以早點安定下來，當時我唯一的考量，就是怎樣在最短的時間內將學業完成，其他事情我覺得辛苦一點都沒關係，不用太去感受，但畢竟人生地不熟，真的需要有非常大的勇氣。」

她也領教了印度嚴重拖延、缺乏效率的工作態度，在印度學到的第一堂課就是：

等～等～等。

「明明早晨九點上班，但他們到辦公室後，要先喝茶，然後吃早餐，大概十點左右才會進入工作狀態。資料交給他，又轉到另一個單位，等文件處理完後，回頭再找他時，他要吃午飯了，下午才能辦。等到下午辦手續就更困難，因為中午吃飯到一點半，到了下午兩、三點又要喝下午茶，往往就擱置一旁，不替你辦理。所以每到一個單位，我們都準備些小禮物，像佛像、念珠，或者是台灣的鳳梨酥。雖然他們表面說不用客氣，但其實很樂意接受，我習慣出門就會帶一些結緣東西，廣結善緣總是沒錯。」

有一次更絕了，「到內政部換居留證時，那天很不巧停電，電腦無法工作，就坐在那裡枯等兩個小時電才來，印度的電力和水力資源各方面都很欠缺，分區輪流停電是很常見的。等電來了後，辦事人員告訴我，已經要下班了。我們只好很客氣地說，『這是很重要的文件，因為我要辦理入學。』有些女性職員稍微跟她商量的話，還願意幫你處理，她說：『那你後天來，我就給你。』所以，很多手續就會卡在這裡，政府機關的運作實在太散漫，但你跟他生氣是沒用的，這是在磨練你的耐心。」

德里大學的學生生活

總算，學校的宿舍申請下來，可以有個落腳處，但也費了好一番工夫。「申請宿舍事先去登記時，並未確定就能拿到，博士班比較容易申請，如以公費留學，須提出證明審核，怕學生繳不起住宿費。當一早見到公告，上面有我的名字和房間，早晨五點鐘就要去排隊繳費，超過十點他就不辦理了。然後跟管家拿鑰匙，搬進宿舍後，發現木板床和衣櫃會搖晃，還長出蛀蟲，從外面飄進來的汙濁空氣，夾帶著蛀蟲、白蟻，即使門窗關緊，也照樣進來。

「所以，一進去宿舍後就開始打掃，接著到處找商店，添購床、床墊和棉被。買東西時，有些商家不會說英文，同學幫我翻譯，我需要怎樣的床、電腦桌、衣櫃等等，兩人說了很長一段時間，店家又問我從哪裡來，為什麼沒頭髮，充滿各種好奇。印度人很閒散，一天做不了幾件事情。」賢度法師笑說。

宿舍安頓好後，接著是適應印度食物，「早晨六點半開始敲鐘吃早餐，餐廳供應一大桶牛奶，桌上擺放麵包和香蕉，有時是蘋果。印度人很喜歡吃奶油，把奶油切成一塊塊的一大盤，塗抹在吐司上。同學好心提醒我，牛奶裝多點分兩次喝，一杯早上喝，一杯下午煮奶茶喝。中餐則是一鍋飯、一鍋菜，還有一大鍋湯，菜色都是各種蔬菜混合，馬鈴薯或是洋蔥、菠菜，都是煮得爛爛的辣菜泥。

「印度人懶，不洗菜葉子，當地蔬菜、水果也很粗糙，品種沒改良過，直接清炒是無法吃的。而且口味重，所以剁爛，炒辣油，一般人沒吃過會辣到口腔掉一層皮。另外會提供烤餅，拿餅沾蔬菜泥，或是沾辣油馬鈴薯。印度教徒約百分之八十是素食者，因為他們認為所有動物都是神，都是祖先，不能冒犯，更不能屠殺，街上動物橫行不以為怪。所以學校餐廳週一到週五吃素，週末晚上提供一次葷食，煎魚或是炸雞。有時晚上會提供奶茶或是咖啡，晚餐就更簡單了，煮得爛爛的一鍋，配著米飯吃。

「有時自己就在房間燒小灶，一早到市場買菜，菜色還是很鮮綠的，一過中午就都乾掉了，很熱又沒空調，也沒冰箱，只能趕緊切切煮煮，室友再弄些炒飯，一起打牙祭。一個月會去外面餐廳，吃頓比較正式的一餐。在台灣，水果、蔬菜應有盡有，在那裡你沒有選擇。

「天氣太熱，中午只好去福利社，拿杯冰酸奶（Lassi，類似優格）喝，加點鹽巴，降降體溫，消消暑，否則整天昏昏沉沉，無法讀書。印度女孩有一個俏皮話：『寧要冰酸奶，不要換帥哥。』可見天太熱時酸奶的魅力。電力不足，分區供電的關係，白天看書看到一半時，會突然停電，風扇不轉了，屋內視線不好又太悶熱，只好把書拿到通風的樓梯間，繼續讀著等電來。晚上比較少停電，不過每個人都備妥蠟燭，以備不時之需。」

食物貧乏又缺電，天氣不是太熱就是太冷，這些跳脫舒適的考驗，是每一天都要面對的，但誠如賢度法師所說：「如果你來娑婆世界找快樂，那你是會失望的，因為娑婆世界的快樂是不究竟的。」除了堅忍，還是堅忍。比較幸運的是，由於賢度法師已具有十二年的教學資格，不用花時間再去修學佛學系的原始佛教等課程，能更專心地做學術研究（系上規定三年以上的教師資格即可免修）。但每個星期六必須參加博士班研討會，是固定邀請學者、專家的專題講座，每位學生都踴躍發問、討論，這對賢度的啟發和受用很大。畢業時，校方會審核出席率，如果沒有超過百分之八十，指導教授就不會給通過。

「要在印度把英文學好是件很困難的事，因為他們的發音很難懂，上過大學的人才能簡單用英文跟你溝通。在被英國統治時，是由英國人教英文，現在是印度人在教英文，就像中國人教英文一樣，無法把英文當作母語。」

一方面語言的障礙，再者外國人又是比丘尼的身分，賢度並沒有多少朋友，身處異國的賢度更顯孤單。平日偶爾去圖書館，不然就是上語文中心的課程。阿妮塔（Anita）是她在印度求學時認識的好夥伴。

「阿妮塔是早我兩年的學姊，她對佛教有一點信仰，我們變成亦師亦友的關係。她想學中文，我跟她練習英文。慢慢她對佛教有點概念，我教導她中國佛教的傳統、修行、菩提心、菩薩道、五戒、十善等等，慢慢她改變很多，也學會幾句中文，把我當作師父一樣對待。我生病時，隨時陪著我，對我很忠實，而且她會打抱不平，也因此得罪很多人。」

儘管保持低調，但是身為出家比丘尼的外國留學生，還是會被欺負：「我們的學生宿舍簡稱PGWH（博士班G棟女子宿舍），常有各種千奇百怪的事情發生，有些印度人喜歡勾心鬥角，這是人性的通病，他們認為台灣人很有錢，所以心態上會不平衡。有的會跑來房間，看上喜歡的東西，樣樣都要，有些佛像、念珠、號碼鎖、手機……等等，不給的話，就開始找麻煩，在背後作惡，批評出家人不結婚，又剃頭。甚至好幾次半夜把我的房門從外面用門栓扣上，我只好打手機請阿妮塔來開門，事後我們沒有聲張。過一段時間又來，半夜聽到有人在拉門，我從床上跳下來，對方聽見聲音趕緊跑走。

「沒想到後來又來第三次，當時我論文都已經寫完了，也快要離開印度了，那時大約半夜三點鐘，我一聽見有動靜，趕緊推門一看，一位女學生嚇得落荒而逃，跑回她的房間，假裝在刷牙盥洗。後來跟舍監投訴此事，舍監卻不敢處分，這些學生負責監督學校的伙食，而伙食的菜錢都是虛報不實，所以不敢得罪。結果，舍監就把責任推給猴子：『應該是貓或猴子弄的啦！到處都有貓跟猴子，猴子跳來跳去，可以從你的窗戶跳進來，翻你的衣服，把牙膏弄得到處都是。』他們把猴子當成聖物，看見猴子只會尖叫：『monkey! monkey!』」這件事就以猴子為落幕。

印度社會的見聞與經歷

一次，她也領教了印度醫療的落後和缺乏醫德，不僅差點沒命，還被狠狠地敲了一筆昂貴的醫療費：「校方要求三個月要繳交一次研究報告，每星期六的研討會也都必須簽到。有一次我報告寫好了，送到學校辦公室，那天真的很熱，三輪車一趟坐去再坐回來時就中暑了，回宿舍後一直上吐下瀉。室友打電話叫舍監過來，把我送去醫院，當時正值SARS流行時期，主治醫師一看我是台灣護照，瞪大眼睛趕緊叫人做檢測，確認我沒SARS病毒後，就把我這個台灣來的肥羊，安排到VIP病房。

「二十四小時打了八瓶點滴，打到我眼睛模糊失焦，渾身水腫，血糖升高，我跟醫生說：『怎麼愈來愈嚴重，你不能一直打葡萄糖，一天只能打兩瓶。』他看我略懂醫學知識，不敢再堅持，換成生理食鹽水，但我身體仍然水腫，而且沒有小便，求助醫師時，他問我：『幾點開始的？』我說：『昨天下午四點。』然後，他撇清責任地說：『我三點半已經下班了。』意思是那不是他的問題，而是另位值班醫生的事，會通知四點的那位醫生來看診，結果那位醫生來了，卻沒做任何生化檢查和血液檢查，只說：『等你想小便時再告訴我。』

「我跟阿妮塔說：『這醫院不能再住下去，一瓶點滴五百盧比，VIP病房一晚八千盧比（當時約台幣六千），這樣敲竹槓下去，卻沒有任何治療。』這家醫院是新開的，類似貴族醫院，一般民眾不敢去看病，更別說住院。我要求出院，主治醫師卻堅持不肯，恐嚇說：『沒有治療好就出院，會更嚴重再回來。』

「我把經理叫來，問：『不讓我出院是什麼意思？』對方支支吾吾推託說：『是為你好，希望治療好再出院。』不得已只好請舍監來溝通，最後舍監嚴厲警告：『你們再這樣亂來，會把她給弄死。』醫生這才害怕起來，醫療費打折，希望我們不要聲張出去，這事就不了了之。但醫院外面很多人都躺在地上無法就醫，印度一個夏天中暑大約死掉一兩千人，而那些人是根本付不起醫藥費的。」

這讓賢度更深刻體會到印度階級與貧富不均的差距，這也是台灣醫療普及，全民享有健保福利下，難以想像的落差。醫院是為有錢人服務，而且是為錢服務，不是為人，窮人的命根本不值錢。佛陀講的眾生平等，但是在這裡的現實層面，是很難實現的。

賢度法師說：「我最初去印度，是想了解為什麼釋迦牟尼佛要選擇印度來創立佛教，而佛教又是為何滅亡？」

呈現在她眼中的印度印象，卻不是富而好禮的文明國度，佛陀時代的印度她無法親睹，但公元兩千年的印度，「髒亂、擁擠、落後、階級森嚴，我親眼看見首陀羅、賤民一家人，以一個帳篷為家，街上許多乞丐小孩簇擁著觀光客，還有婦人抱著嬰兒在烈日下討錢。新舊德里是兩樣情，一邊富裕，一邊落後。

「印度政府以發展核子武器和軍事為重點，但民生經濟卻遠遠落後，教育更不用講，貧富差距太懸殊，有錢人非常有錢，但窮人真的太窮了。窮人生的孩子一輩子當乞丐，拉三輪車，除非能接受教育，但公職人員以上才有可能送小孩去讀書，一般人的月薪約兩千盧比，一個小孩讀書的話，大概全家都不要吃飯了。」

階級是印度難以跨越的鴻溝，不僅是種姓階級、貧富階級，甚至是男女階級。做為一個自由國度的女性出家眾，賢度法師能夠依照自己的意願，選擇出家，不結婚，一輩子奉獻給佛教，所以她非常同情印度女性無法自己作主的悲哀。

「印度女性十四歲開始要找門當戶對的對象，階級觀念還是很嚴格，絕不能和其他階級通婚，更不能自由戀愛，由家長安排的婚姻在印度是非常普遍的。所以女孩子到大學讀書，如果被發現自由戀愛了，家長就會來學生宿舍抓人回去，由父母安排對象結婚。這種戲碼常常上演，印度女性的社會地位之低，完全沒有自主權。男尊女卑，除非受過教育，否則被關閉在家庭狹窄的生活圈，成為男性的附庸。當然在這裡要考上公職或教職是非常不容易的，像阿妮塔是成績好，靠獎學金讀書，一般小康家庭沒有能力讓女兒念大學，都是早早就嫁人了。」

對於佛教在印度的沒落，而崇拜神權的印度教盛行，也讓賢度感到佛法的消失，對印度人來說是相當可惜的。「印度教的神權是至高無上，比如神明聖誕就開趴不工作，狂歡整天整晚，但往往淪為一種盲目的信仰和崇拜，缺少正知見的思惟。每每與那裡的人相處，看著他們對人事好惡、斷見與偏執，看見人性最真實的善惡面，就覺得很需要佛法的教化。

「當然，這也訓練我自己在身體和精神上，去接受最大極限的考驗。這種辛苦，我認為對我在未來人生，在弘法工作上，有相當大的影響力，也能夠不怕遇上挫折。當一個人來到人生地不熟的全然陌生之地，國土民情不同，信仰也不一樣，必須培養堅定的毅力。不像在台灣，有學生、有侍者和熟悉的信眾，資源都很豐富；而在印度，要什麼沒什麼，要用網路得坐三輪車去網咖。後來慢慢適應了，也能接受現實，算是上了另外一堂『印度學』。

「菩薩為了度眾生，即使到了五地，還是要去學習五明，善巧方便地和眾生在一起，何況我們還是凡夫。放下身段，從頭開始，這個經驗對我來說，真的很難得，也很實在！」即使知道自己和這片土地、這些人事物的種種格格不入，但是賢度法師如實以對，也正因為如此，這才是她此趟學習之旅，克服內心障礙最重要的跨越。

〈十地品・難勝地〉經中對五明有清楚的描述：「此菩薩摩訶薩為利益眾生故，世間技藝靡不（無不）該習，所謂：文字、算數（以上為聲明）、圖書、印璽、地、水、火、風，種種事理諸論（以上為因明），咸所通達；又善方藥，療治諸病，顛狂、乾消、鬼魅、蠱毒（以上為醫方明），悉能除斷；文筆、讚詠、歌舞、妓樂、戲笑、談說，悉善其事；國城、村邑、宮宅、園苑、泉流、陂池、草樹、花藥，凡所布列，咸得其宜；即營造工業，營農工業，不喜樂障對治。金、銀、摩尼、真珠、琉璃、螺貝、璧玉、珊瑚等藏，悉知其處，出以示人；日、月、星宿、鳥鳴、地震、夜夢吉凶，身相休咎，咸善觀察，一無錯謬（以上為工巧明）；持戒、入禪，神通、無量，四無色（以上為內明）等，及餘一切隨順世間之事，但於眾生不為損惱，為利益故，咸悉開示，漸令安住無上佛法。」

賢度法師另補充：「五明之外，五地菩薩並以布施、愛語、利行、同事四攝法善巧開示，救度眾生，隨順眾生。先安頓其生活所需，解決身心、疾病等問題，潛移默化後，再講佛法：『示現色身，演說諸法，開示菩薩行，顯示如來大威力』，為避免眾生留戀世間五欲快樂：『示生死過患，稱讚如來智慧利益，現大神通力』，五地菩薩可以隨時展現受身，他們隨願受身，所以能展現大神通力，『以種種方便行，教化眾生』。」

四攝法，是菩薩度眾的修行之道，包含布施、愛語、利行、同事。布施，是最快，也最有效的方法，隨時隨地給予眾生財布施、法布施及無畏施。愛語，是說柔軟的話，鼓勵的話，安慰的話，鼓舞眾生生起信心和正能量。利行，捨棄自利而利他，而且不分遠近親疏，或者你喜歡或不喜歡，任何人需要你幫忙時，都以平等心去協助他。同事，時時設身處地以同理心去感受他人，理解他人，彼此親近，再以善法善行度化他。

菩薩外行四攝法，內以慈、悲、喜、捨四無量心為根本，希望所有在迷眾生，了悟真諦，開悟成佛，所以利用四種攝受方便之門，讓眾生產生好感，慢慢獲得信任後，讓他可以更容易親近佛法。《華嚴經》說：「若能成就四攝法，則與眾生無限利。」

學成與賦歸

在印度求學期間，賢度法師有兩次返台，另受聘到美國華嚴蓮社擔任住持，並籌備大雄寶殿工程。「我真正拿到學位是二〇〇五年三月，這中間還是與大陸弘法方面一直保持連繫。我們一年可以請兩次假出國，一種是病假，一種找研究資料，須由系主任批准，然後到外交部申請。我差不多回來台灣兩次，一次是蓮社過年法會，一次是生病回來調養。」

由於寺務繁忙，賢度法師論文寫完後，交給指導教授，並表明必須先回去了，請他先幫忙申請論文口試，時間到了再通知她來面試。「這幾年和沙洛教授相處下來，更明白他個性耿直。有回教師節，一群學生到辦公室送卡片祝福，結果沙洛教授很不領情：『你們知道製造一張卡片要砍多少樹木嗎？』學生無辜地說：『只是表示對您的尊敬。』沙洛教授回答：『最好尊敬的方式，就是時時反省自己，做好你們的行為，然後跟隨佛陀學習。』學生們只好狼狽離開，從那一次我才知道印度學者是很擇善固執的。」

沙洛教授畢業於德里大學歷史研究所，他參加印度高考十年（每年考不同科目，須考十年），都以優異成績領先群倫，最後被錄取將培養為警政署長，但他卻因為對教育的理想而放棄了，決定出國深造，入選英國劍橋大學每年招收全印度前十名資優生，公費至英國劍橋大學讀了八年博士學位。他其實可以不必再回印度教書，在英國當教授享有高薪，但他說：「印度需要教育，用教育來改變印度，不教育會更無法無天，學者、專家國外一大堆，不需要我去。

「他最討厭混日子的學生，找他交際應酬的話，就會被他罵。也堅持吃素不殺生，年輕時會抽菸，後來提倡環保意識，被學生質問：『老師提倡環保，手上還拿著菸。』他立刻把菸丟掉，從此不再抽。一個學者會實際實踐，不只是講理論，在言語與行為上貫澈思想，是非常不容易的。」但他也因為太嚴格而遭到報復。

在印度博士班研究所要先讀五年，從基礎的巴利文、戒律、南傳教義等開始學習，再經五年論文訂題完成，口試通過，才能成為正式的博士。系主任權力很大，口試前，須先在週六研討會上先進行院內發表，系主任負責召集所有博士生到場，通過後，寄給五所學校的教授審閱，並指定一位教授擔任主考官。口試過了，如果要繼續留校教學，第二個十年就必須擔任指導教授的助理，義務幫忙生活家務或處理學校行政事務等等。如此前後二十年，指導教授對你表現覺得滿意，就為你推薦至系上助理教授的職位，再一路升上副教授、教授位置。

所以，就算對指導教授不滿也只能暗藏十年，表面畢恭畢敬，等到十年拿到正式教職後，就想辦法報仇。賢度法師說：「這就是君子報仇十年不晚，沙洛教授因為對學生太直言不諱，後來被他的助理教授給惡整一番，差點害他出不了國。」

談及這位指導教授，賢度法師又說：「他也是印度學者中嚴謹的一位，每天不斷自我充實，發表文章，學過中國近代史、中國文化，並實地考察研究，有次揹起背包從印度喜馬拉雅山邊界，一路走到中國長城。他的太太和孩子都移民加拿大，他只有寒暑假過去探望，卻不想移民，自己留在印度教佛學、哲學及歷史。而且上課不用看書翻講義，滔滔不絕就是一場精采的演說。德里大學不允許他離開太久，所以他都是來來去去中華佛學研究所。」

賢度法師敬佩地說：「而且沙洛教授深入學術研究，像巴利文、印度歷史等，印度最大的寶藏就是歷史文化，世界佛教歷史他非常專精，懂五千多個漢字，每學期安排兩次去朝聖探險。《華嚴經》他雖然不懂，但為了指導論文，他研讀整部英文版的《華嚴經》。我一個章節、一個章節的內容，mail給他看了沒問題就回傳給我，我的論文算是寫最快的。博士班大概都需要五年，一般教授大多不會讓你提早申請口試，發表論文。」

二〇〇五年元月，返台後的賢度法師在博士論文發表的口試前，脊椎出了問題，因坐骨神經痛，後來她被送去國泰醫院掛急診，痛到連打止痛針都沒辦法。醫生檢查後說：「椎間盤突出，已經很嚴重壓迫到神經，必須馬上開刀，否則會癱瘓，將來不良於行。」

賢度法師心想：「我決定豁出去了，再大的困難都經歷過了，開刀對我來說應該沒什麼。」

主治醫師親手為她執刀，從麻醉到手術結束約二十分鐘，「一推回加護病房還未確定是哪張病床，我就已經開始講話了，而且是講英文。」可能她正在練習用英文發表論文，連手術時都在準備她的口試。即使回到台灣，剛開始她習慣性反應開口說話都是英語，連接電話也是英文對答。

「後來，我恢復意外地快，也不需要坐輪椅，請人幫我訂做護腰，隔天早上就下床走路了。休息十多天，德里大學來通知論文口試時間，就馬上綁著護腰，拖著行李飛過去參加論文口試。因為錯過的話，就要再拖延一年，我一心一意只想趕緊將學位拿到，所以算是一場很大的冒險。

「論文考試很順利，我還算應對得體，因為事先花了很長時間一直在準備。考完試後，主考官慶賀我說：『通過了，從此以後，你不用再到印度來了，我也知道你很不喜歡這個地方。』到三月我才拿到畢業證書，不過一切總算是結束了。」

關於賢度法師獲博士學位歸國後的消息，在華嚴蓮社的期刊上，有段詳細報導：

「二〇〇五年三月五日，賢度法師遠赴印度德里大學苦讀四年，終於獲得哲學博士學位，本社特於三月六日舉辦晚宴為法師慶賀，與會嘉賓雲集，有新科立委徐國勇、前教育部次長李建興、國史館卓遵宏教授、侯坤宏教授、法律顧問吳西源律師、佛教會常務理事長明光法師、中華佛研所所長李志夫教授，及印度德里大學哲學系系主任暨指導教授Dr. Sarao。會中賢度法師將一座象徵精神堡壘的禮物獻給成公董事長，感激上人多年來的栽培，也期盼將華嚴教學更加深入，廣為流傳；最後贈送指導教授Dr. Sarao『春風化雨』獎牌一座，感謝教授的正確指導。慶祝會在祝賀及歡欣中，圓滿結束。」

問及賢度法師從印度返回後，最大的改變是什麼？她倒是笑說：「PH.D之累，無法拒絕的邀約，拿到學位後，學界教界的邀約更多，各種學術研討會都必須參加，而且更積極開辦各項華嚴專題論壇，開啟國內外華嚴學術研究的風潮，DR的頭銜，時時得接受考驗。」但經歷了印度之旅的考驗後，這些考驗也應該不算什麼了！

賢度法師為自己印度之行的最後，做一個結語：「人生可分為好幾個階段，對我的生涯規劃而言：從修學階段，到弘法工作的完成，再參與學術研究，至於未來在修行層次上提升，或是在思想上有所突破，我交了論文後，又回到現實環境，繼續從事弘法工作。」

是的，賢度法師並未閒逸下來，弘法的工作繼續推動著。三月五日才舉行完取得博士榮譽的慶賀活動後，兩個月後的二〇〇五年五月九日，她即率領華嚴專宗學院的研究生，到北京中國佛教文化研究所進行交流，由楊曾文所長親自接待主持，並至北京大學參與由宗教學系及哲學系合辦的「華嚴專宗學院學術發表會」。

她也試圖將華嚴思想藝文化、美學化，二〇一〇年蓮社社慶開始，連續舉辦華嚴書畫、攝影、書籍、經書剪紙藝術等展覽，以五明的工巧明，擴大華嚴文化的影響。而為接引更多青年學子接觸佛教與《華嚴經》，二〇一五年起進一步舉辦「華嚴金獅獎」，鼓勵高中職、大專院校生及社會人士，乃至監所受刑人共同參與，以微電影、散文、平面設計、書法與偈語創作、繪畫、攝影、音樂創作等形式，結合日常生活，展現《華嚴經》豐富精采的內涵，深化佛教在社會的影響力。

二〇一一年，五十一歲的賢度法師接任智光商工職業學校董事長一職，在五地菩薩的實踐上更加貫徹，她雖是出世的出家身分，卻入世地走在時代教育的前端：「身為董事長，你必須很清楚每一個科系的發展前景和年度預算的編列，用最好的設備，最優秀的師資，讓學生得到最好的教育資源。尤其商工的辦校，又是少子化的年代，不走在時代的前緣，不領先潮流，不具備特色，是招不到學生的，我們要讓學生學習更專業的知識和技能，並且與時俱進。比如餐飲管理科向來是本校最受歡迎的科系，這三年我們融入了蔬食桌菜，提供全新的工作台給學生專門做素食；還有多媒體設計科，也編列數百萬的預算，購置虛擬實境設備、直播錄影棚等等。即使我是出家人，也要入世地了解現在的流行及未來的趨勢，才能帶領學校蒸蒸日上。」

菩薩不是遠在天邊，在天空飛行，不著邊際，不食人間煙火，五地菩薩帶給我們的啟發是：在出世與入世之間優游自如。回顧印度留學旅程，應該是賢度法師生命中最艱辛的印記，但這個印記也是五地菩薩送給她的禮物。

第六章

現前　新時代改革之路

革新的智慧

斯里蘭卡的原始菩提樹，是佛陀當年在印度菩提迦耶證悟之樹移植而來的分枝，最動人的畫面倒不是屹立不倒的千年古樹，而是菩提樹旁的一株小苗，象徵著世代的傳承與交替，使這條覺悟之路即使在不同國度也能愈加壯大。世代的遞嬗，也意味著不斷透過革新的突破，以延續佛陀的智慧，讓小苗們可以更自由地呼吸，茁壯成長。

革新的步伐一直驅動著賢度法師勇往直前，這其中有一個令人感動的內在信念：「我把學生當做是『再來人』，我要訓練種子師資，期盼每一位從佛學院離開時，都能成為一名播種善根的播種者。」

不同於過去老和尚們將年輕學僧們視為孩子，以培養僧才為主，賢度法師很清楚自己的目標：「通才和專業的法師是不一樣的，改革之路不是一時的建設，帶領一個學院、道場，是要審時度勢，隨著時代的腳步而改變。」

修行要修一個活潑的心，包羅萬象的，這是我所認知的賢度法師。當然每個禪師的特質不同——比如登山好了，有人的目標是在山頂，大山大水的震撼，沿途的考驗與磨練，是仰望山頂的；有人卻不是，而是原始森林的浪遊，尋找動植物的足跡，對山是以平視的角度，他是在山裡面。

賢度法師笑說：「大山與森林其實都沒兩樣，證得空性般若的菩薩行者，是不執人法，時而正經八百洋洋灑灑，寫一大篇論文或嚴肅的演說；有時又可以活活脫脫地把信徒或者自己弄哭了！」

二〇〇一年，夏季熱風開始吹襲的五月十五日，江西臨川海拔兩百六十多公尺金峰頂上的金山寺還有一片清涼，此時天色已暗沉，但朗朗清澈的「本師釋迦牟尼佛」聖號，正從一群手捧鮮花與香的年輕尼師們口中，一遍遍傳誦至彩霞飛舞的雲層。她們佇立山門兩側，滿心歡喜地等待著賢度法師一行人的到來，場面隆重莊嚴。

終於，看見迎接的車子駛向山頂，賢度法師下車後，山門內外肅穆的尼師隊伍唱誦得更加虔誠，表示對賢度法師的熱情歡迎。昏暗中，賢度法師沿著長階步向金山寺的大雄寶殿，二十多分鐘的上山沿途，兩旁階梯皆是排列整齊的學僧們一一頂禮。待進到古色古香的大雄寶殿後，爐香讚隨即唱起，印空老法師起身笑著對賢度法師說：「你終於來了！」

賢度法師也笑答：「我答應要來，一定會來的。」

這是一個承諾，賢度法師將在這年的結夏安居期間（農曆四月至七月），教授金山寺尼眾佛學院的學僧們誦持《華嚴經》，並教唱華嚴字母，以及即席的教學講座。這個承諾追溯到半年前，亦即二〇〇〇年十月二十九日在國立臺灣師範大學舉辦的第四屆兩岸僧伽教育交流研討會有關，那次研討會有個非常重要的主題，也就是「二十一世紀比丘尼的角色與定位」。

事實上，在二〇〇二年前往印度留學前，賢度法師早已是空中飛人奔走海外演講與交流。她敲開世界的門，宣揚華嚴的智慧，當然也包括返回大陸祖庭及大江南北的弘法之行。

賢度法師說：「一九九〇年九月十三日，成一老和尚首度返回泰縣祖庭光孝寺，陸續進行祖庭修復工作。此後，老和尚與我每年都回祖庭帶動弘法共修，並至大陸各大專院校進行華嚴教學及學術研討工作。

「幾年來，我們的弘法行腳橫跨了整個大江南北，先後到了：北京大學宗教學系及哲學系、復旦大學哲學系、山東大學哲學系、中國佛教文化研究所、中國佛學院、中國佛學院棲霞山分院、常熟興福寺法界學院、江蘇泰州光孝寺、泰州光孝佛學研究社、海安觀音禪寺、上海玉佛寺佛學院、上海沉香閣女子佛學院、江西金山寺尼眾佛學院、九華山佛學院、閩南佛學院、杭州佛學院、揚州法海寺、蘇州西園戒幢佛學研究所、山東湛山學院、上海玉佛寺、華藏寺、濟南神通寺、安徽九華山翠峰寺華嚴研討會等處講座。」

與江西金山寺的結緣，是其中相當殊勝而特別的一場交會。賢度法師祖籍江西，她說：「在中國佛教發展的歷史長河中，叢林制度始創於江西。『馬祖建道場，百丈立清規』都是從江西開始。百丈清規的出現，是世尊制戒精神中國化的具體表現，使佛教在中國有了第二個生命。金山寺始建於唐朝，是贛東名刹，位於江西臨川境的金山嶺上（又稱金峰），因金砂遍地而得名。金山寺歷朝歷代，都是僧家修行的寶地，與江蘇鎮江的金山寺同名，同樣有金，同樣是禪宗道場，其不同之處是今日的江西金山寺，已成為尼眾道場，更具特色且別具風貌。」

金山寺擁有良好的生態植被，依山而建，整體占地兩平方公里，寺內藏經書多達二十多萬冊。蔥蘢群峰將金碧輝煌的寺院建築群襯托得更加典雅幽靜，不管雨天雲霧繚繞或是晴日鎏光霞映，都顯現其脫離市廛之美。更重要是，金山寺為江西尼眾佛學院的所在地，是大陸佛教第二大重點教育基地。

二〇〇〇年十月二十九日，來自兩岸的比丘尼和貴賓約兩百多人在台北齊聚一堂，由賢度法師擔任主持人，為「二十一世紀比丘尼的角色與定位」研討會進行熱烈的討論。當晚交流訪問團以印空法師為首的十餘位大陸比丘尼成員，在主辦單位慈光禪研所所長惠空法師的帶領下，來到華嚴蓮社接受晚宴招待，並參觀蓮社及華嚴專宗學院的各項軟硬體設施。

賢度法師說：「江西尼眾佛學院的尼師此行來台，曾到蓮社拜會師父，當時我也和她們見面，院長印空法師說，她們雖有尼眾學院，但無人能講《華嚴經》，每年四月結夏安居時候都只誦《華嚴經》而已。因我祖籍是江西，也想回老家看看，便承諾去講《華嚴經》，因而開啟江西金山寺尼眾佛學院講學的因緣。這也是兩岸尼眾共同前進的一種革新，而且是開創二十一世紀佛教的新契機。」

對於印空法師，賢度法師滿是佩服：「老尼師文革時，堅持不還俗，她帶著這群尼眾艱苦奮鬥，我當時抱著雪中送炭的心情，去講了一個月的經。」

一九八五年，臨濟宗門下第四十五代傳人印空尼法師，發心復建金山禪寺，她以七旬高齡，歷時八載，終將金山禪寺再現於金山嶺上，雄偉壯觀。「老尼師悲心矢志，高瞻遠矚，一九九四年又建立了第一座尼眾佛學院，今天的金山禪寺，已是出家尼眾嚮往的叢林，在家信眾朝拜的聖地。當年印空老法師帶我參觀一望無際的山巒時，問我：『法師，你要哪一座，我請政府劃給你。』我笑說：『我的道場已經太多了。』我去時連抽水馬桶都沒有，不嫌清苦，她們卻感覺不好意思，還把學院的教務處騰出來給我當客房，現在她們整座山都開發了。」

關於在金山寺尼眾佛學院精采的講經過程，賢度法師有一番詳細的描述：

五月十六日一早，準八點，位於觀音殿樓下的講經堂，學僧及在家眾約有一百五十餘人已經坐滿，且學僧上課時都著海青及搭衣，盤腿而坐，場面甚為莊嚴。我首先講解《華嚴經》的組織結構，教導學僧如何分辨五周四分及七處九會的內容，並以多媒體投影片，由淺入深地引導學僧們認識華嚴宗的源流，敘述《華嚴經》是世尊釋迦牟尼佛在成道第二七日時說的法，《華嚴經》又是如何流傳，是誰從龍宮帶出來的？帶出了多少品？繼而介紹華嚴宗成立的過程。

九時四十分起，以誦持《華嚴經》及教唱「華嚴字母」為主，我帶領學僧唱誦正版的〈寶鼎讚〉，並唱〈華嚴祝文〉後，開始念誦第一品經文〈世主妙嚴品〉，俟經文讀誦完畢，即唱〈華嚴偈讚〉。

我在金山寺介紹《華嚴經》〈世主妙嚴品〉組織結構，第一品經文係毘盧遮那佛初次集會於摩竭提國阿蘭惹法菩提場中，世尊放眉間光及齒光，入毘盧遮那藏身三昧，以普賢菩薩為會主，為四十二位法身大士說法，演揚如來依正二法，令眾生由欣慕而生信……。因為華嚴經內容非常豐富，篇幅大，所以我總習慣先以這樣的方式，讓初學者有個下手處、著力點。金山寺道場從未接觸華嚴儀軌，所以我也為他們授「華嚴字母」。

華嚴字母是佛教梵唱中較為特殊及困難的一環，我親自擔任維那，耐心教導各種不同法器使用時機。從第一個字「阿」、「多」、「波」、「左」、「那」、「邏」開始教起。因為從未接觸，光是各項法器的使用方法，都已經學得很吃力，不過他們還是非常好學。這回因時間比較充裕，所以我每個字母逐一講解，配合著講課的進度。儘管逐字教授講解，但佛教梵唱仍須長期薰習，才能有莊嚴悠揚動人的梵唱，除了天分，天生嗓子好之外，能夠在梵唱中融入法義，專注具足悲心願行的情緒，才是攝受眾生很重要的條件。

講學期間，正值金山寺文殊殿舉行上梁法會，信徒們遠從各地蜂擁而至，賢度法師應寺方請求，晚上加開一堂即席講座，放映「佛陀的八相成道意義」，外加介紹〈普賢行願品〉。同時，在六月三日舉行金山寺大雄寶殿奠基儀式該晚，因印空老法師身體微恙，無法親自為前來朝山的信眾開示募款，賢度法師便應當家師父頓成法師之請，義不容辭代為開講。

賢度法師說：「怎料山居早晚溫差大，我們住的寮房西曬不通風，但過了下午四點，山上開始起霧變得濕冷，冷熱交逼之下，身體易受風寒，所以我出現腹瀉發燒狀況，幸好一位人民醫院的醫生前來義診，幫我打點滴，讓山上法師著實緊張一陣子。經過兩天調養，該日晚上七點，我還是神采奕奕地到場開示。

「我教導信徒〈感恩心〉及〈萍聚〉兩首佛教歌曲，並勸導信徒進到寺廟不要燃放鞭炮，也不要燒大香，只要有心意就可以達到同樣功效。當晚講經堂學僧和信眾約有兩百人席地而坐靜靜聽講，走道上也擠滿了人潮。鄉下信徒雖有虔誠拜佛的心，但秩序不佳，來寺院聽法好像在串門子，到晚間十一點，還是人聲鼎沸靜不下來。」

賢度法師感嘆地說：「這些眾生雖有向佛的心，但對佛法仍然陌生，所以我總是希望，我們華嚴專宗學院能夠多培養弘揚華嚴菩薩大法的講經人才，來為這些眾生們開啟智慧，引導他們趣入正確的修學之道。」

但也有讓賢度法師欣喜的部分：「金山寺佛學院的學僧們畢業後，很多都來華嚴專宗學院再學華嚴，佛研所畢業了，也回去當授課法師了。至今難忘這些學僧們當初清純的模樣，她們很多都是家境貧窮，父母只好送來出家。有機會我希望再返回江西老家禮祖，再進行一次弘法之旅，我在大陸現在也是桃李滿天下，許多院友們都等我去一趟。」

在江西尼眾佛學院講經後，目睹當地僧尼與信眾對於經教義理的匱乏，使賢度法師對弘法生起更強大的使命感，她將自己的華嚴經典著作，寄到九華山男眾學院。對方收到書後來電致意，賢度法師順口提出：「如果你們需要我去講解的話，我很樂意去盡點心意。」照理講，男眾學院是不接受女眾法師講解經教的，遂賢度法師又問：「你們那邊請不請女眾？」

結果對方高興地說：「您是例外，歡迎，歡迎！」

「所以我結束了江西尼眾佛學院長達一個月的華嚴講座後，車子就直接開到九華山，下了車馬上開講。閩南佛學院也是我在台灣主動先跟他們聯繫的，因為閩南佛學院在廈門，離台灣比較近，就當作是此次弘法之旅的終點站。或許是有志者事竟成吧，此次一切的經歷都很順利，也累積相當豐富的大陸講學經驗，可做為將來弘法的參考。」

賢度法師的積極革新，融合了果敢的實踐力，可說是女眾法師中少有的特質，一如她所說：「改革是不能等待的，因為這已經是一個新時代了，人們都渴望真實的智慧。」

華嚴專宗學院的改革

六地菩薩所在的六地是現前地，就是般若智慧現前的意思，而且是沒有分別，最殊勝的般若智慧，一切現象都是緣起性空。

賢度法師編著《轉法輪集一》中說明：「六地菩薩，住緣起智，引無分別最勝般若令現前，說明六地菩薩能起勝智，觀十二因緣，不作染、淨二差別行，而能以十平等法，觀一切法自性清淨，隨順無違，得入第六現前地。」

這也是六地菩薩對法界緣起智慧的實現，唯有沒有分別的般若智慧，圓融的智慧，面對人間苦難才能不被襲捲。隨著二十一世紀新時代的邁進，賢度法師更重視華嚴智慧的傳播。她承擔起佛學院的改革，重新定位教學方針專研專修專弘，制定學程規劃，推廣數位教學。將華嚴教育重新整合於網路新時代；除此，在出版文化及國際學術交流方面，她也交出了漂亮的成績單。

關於蓮社華嚴專宗學院創建及演變歷程，賢度法師再次詳細回顧：「當年蓮社擴建為五層樓後，空間寬敞起來，南老很開心要辦學。故於一九七五年，成一和尚創辦了華嚴專宗學院，這是為了提高僧伽教育水準，培養現代弘法人才。那時我師父親自擔任院長，親手擬定學院章程、課程規劃、聘請教師，並正式開始招生。學院採取四年制，課程以華嚴大經為主修，其他華嚴學說相關研究為輔佐科目，至於諸宗，例如法相、天台、般若等，也都涵蓋在教材裡，期望學子能增廣見聞，學以致用。

「一九七五年十月十六日舉行第一屆開學典禮，恭請南亭老和尚為導師，並為第一屆新生開講相宗綱要及《華嚴經》講座。南亭導師除時時督促學生用功讀書，還常常坐在教室最後一排，聆聽聘請來的老師講課。身為導師，南老卻很虛心地跟學生說：『這些課程的內容跟教學方式他以前都沒接觸過，覺得必須學無止盡，才能跟上時代腳步。』南亭導師在一九七九年第一屆學生畢業錄上題字：『佛法衰微，汝等畢業後能以些微之力於斯乎！』可見導師對學子們殷殷期盼之心，實非一般。

「而成一院長也甚為用心，不但為學生教授華嚴相關科目，對於學生的課業，無論佛學或其他科目都非常重視，每週親自批閱學生週記。一九八二年南亭老和尚圓寂，成一和尚繼續《華嚴經》講座，為學院學生講解〈如來隨好光明功德品〉、〈離世間品〉、〈入法界品〉。

「一九八三年因國際科學知識進步一日千里，僧伽教育水準須及時提升，以因應時代潮流。在兩屆大學部學生畢業後另增設華嚴專宗研究所，讓學僧有繼續深造的機會。創所宗旨以現代的學術精神，研究佛教高深哲理；以更專精的涵養，迎接二十一世紀。藉以培植悲智具足、專研、專修、專弘華嚴思想之弘法教育人才。」

一九九二年，賢度法師於開學典禮中，正式接任華嚴專宗學院副院長，也開始教授華嚴宗史、華嚴學、華嚴專題研究、華嚴文獻、華嚴修證儀軌等科目。經歷七年華嚴學科的教學經驗，賢度法師深刻了解一門深入的重要性。

一九九九年某一天，八十五歲的成一老和尚突然心臟病發作。「那時他還是院長，平日師父跟學生唯一的接觸就是，每個禮拜三陞大座講《華嚴經》，後來因為學生聽不懂，所以我們就建議院長用上課方式來講解。那天師父心臟病發作，血壓降到四十，心臟跳動已經是間歇性的停擺。看過醫生後，醫生建議馬上住院，因心臟周邊的血管退化，在醫院裡面住了將近一個禮拜時間。回來後，醫生建議師父盡可能不要講太多話，以免耗力氣。因為不能上課，加上身體老邁退化，所以一九九九年九月十三日，成一老和尚就把院長的職務交給我。

「當時因為住持工作還未卸任，又加上了院長的工作，工作量遽增，多到讓我分身乏術，都快哭出來了，但還是自我勉勵：秉持弘法利生，是出家人的本分，既然出家了，再怎麼辛苦都還是有意義的。看似表面多了一個頭銜，多了一個光環，但事實上背負在身上的擔子是更沉重了。」

賢度法師總是以最高的標準來自我要求：「既然身為院長，就要多加思考如何能將學院辦學，辦得更理想，不能承先而已，還要能夠繼後。在這一年，我聘請陳一標老師擔任研究所副所長，為讓學院栽培更多華嚴的弘法人才，在人力和財力的付出上，都是不計回饋地全力投入。

「所以，我在一九九九年重新制定華嚴學程規劃[注1]，更定位以專研、專修、專弘華嚴為教學方針：一、專研華嚴經典教義，啟發本具善根智慧，依信解行證之順序，成就一乘道果。二、專修普賢行願，以十度、四攝成就無量眾生，以清淨菩薩萬行因華，莊嚴華藏淨土。三、專弘經教典籍，投身華嚴教學工作，培育華嚴學人，永續佛種、慧命不斷。」

一九九九年九月，賢度法師擔任院長後，即以破釜沉舟之心進行教改。她將學院大學部停辦，改成專辦研究所，每年定額招生十名研究生，以培養優秀專精的華嚴人才為主。

她說：「一般碩研班二十六個學分就畢業了，華嚴碩研班要修四十八個學分，而且規定研究所三年級一定要畢業。我們對學生的學習既嚴格又用心，論文寫不出來的話，就讓學生們好好閉關，花一、兩個月時間去完成。」到二〇二〇年為止，細數華嚴專宗學院大學部共有九屆，畢業生共計六十九人；研究所亦有二十五屆，畢業生共計一〇四人。

賢度法師自接任華嚴專宗學院院長及研究所所長以來，亦積極對外推廣佛學教育，二〇一〇年研究所增設「選修生」，接引各大專院校生，並成立推廣部，讓更多社會人士前來就讀。此外，自二〇一〇年起，為因應台灣僧源減少的衝擊，開始開放大陸學僧前來參學或就讀，為中國僧才教育盡一份心力。十年來共二十五人完成碩士學位，其中二十二人受法為弘揚華嚴的種子師資。

二〇一二年，申辦台北市政府所辦理的「終身學習護照活動計劃」，開設佛學與才藝課程，與社區成人終身學習結合。二〇一三年起，與華梵大學合作開設碩士學分班，認證華嚴專宗研究所學程規劃中的十二個學分，研究生四年內，即可同時完成教育部認可的碩士學位。

華嚴智慧與數位化整合

網路時代開啟另一個世界觀，從電腦、網際網路到手機等等，科技世界帶來的進步，並未使佛法褪色，反而更印證佛法的科學性與實用性，而且更有助於佛法的推動。不僅如此，過去依賴文字閱讀或是現場聽聞的傳法方式，慢慢也轉為更方便的影音、影像等數位化傳播。即使彼此遠在異地各處，也可以透過線上視訊一起聆聽法師開示教誨，這絕對是一千多年前澄觀、宗密等華嚴大師們想像不到的事情。

一個佛教徒必須與時俱進，而非故步自封。你可以在山上閉關，但也可以打開電腦、手機對信眾說法，不需要拒絕時代的進步。因為一個佛教徒的內在本具佛性，就是無限的整體，是超越時空的限制，不被所緣之境束縛；一個佛教徒是活潑的生機，而非槁木死灰，其內在的寂靜是一種敞開，與萬事萬物交流，當然也包括網路時代。賢度法師亦然，做任何事她全力以赴，但她是開創的，甚至是一直挑戰新的可能：「不要給設定，給設定不好玩，自由發揮，才有無限可能。」

賈伯斯一邊禪坐，一邊發明蘋果手機，他最著名的蘋果禪是：「如果今天就是我最後的日子，那麼原計劃今天要完成的事情，我還願意做嗎？」這是他每天坐禪結束後，面對鏡子的自問。

賢度法師在每日定課後，她也思索著華嚴的未來：如何運用現代的科技設備培養高知識教學人才，發揮道場弘化的最大功能，以達醒世利人的意義。

華嚴智慧與數位化整合，對她來說，亦是一項重要的革新，首先研發多媒體專題教材，以推廣華嚴教學。隨著資訊時代的來臨，賢度法師在海內外弘法時，活用電腦多媒體教材，製作四十篇專題教材注2，引導學僧及信眾從華嚴基礎學理，乃至深度的專題研究，逐一深入了解華嚴領域。

再者，空中弘法部分，一九五〇年起，南亭老和尚於民本電台開啟台灣第一次的空中弘法，一九八七年起，賢度法師亦開始在電台講授《華嚴經》至今不斷。二〇〇一年起，進一步在電視弘法，製作空中佛學院節目，對廣大媒體信眾播放《華嚴經》講座課程，長達二十年之久。

又為了符合現代數位化的需求，並迎接二〇一二年華嚴蓮社六十週年慶，蓮社於二〇一〇年進行第四次整建工程，軟硬體同步更新，並將樓層重新規劃為：一樓行政中心，綜理各項事務；二樓最吉祥殿，是學生、住眾從事早晚功課，以及蓮友們共修的殿堂；三樓祖堂，供奉華嚴堂上歷代祖師，另設歷任住持——智光、南亭、成一和尚文物展示館；四樓視聽教室，是研究所和推廣部上課的研討之地；五樓成一圖書館，為學僧們智識的寶庫；地下一樓的地藏殿，供奉地藏菩薩聖相，並提供信眾安置祖先蓮位。

華嚴疏鈔工程

跨越十多年《新修華嚴經疏鈔》的編輯完成，亦是因應時代改革的巨大工程。賢度法師提及《疏鈔》重編的緣起：「為使華嚴祖師所遺留下來的智慧財產，以現代語言方式重新問世。我們於一九九六年八月一日成立叢書出版部，出版華嚴教材系列，並成立『新修華嚴經疏鈔研究會』，進行《華嚴疏鈔》的整編工作。出版華嚴祖庭、華嚴學海、萬行叢書、南亭和尚全集、成一和尚著作系列、大專青年獎學金論文集、個人華嚴專書等，華嚴多媒體教材系列[注3]。」

一九九五年，賢度法師籌劃《華嚴經疏鈔》重新整編工作。她進一步解釋：「《華嚴經疏鈔》是四祖清涼澄觀的著作，是《華嚴經疏》和《華嚴經隨疏演義鈔》的合稱，與三祖法藏的《華嚴經探玄記》，世稱『華嚴雙璧』。」

「一九三一年到一九三九年抗戰期間，徐蔚如居士弘揚華嚴大經，仰慕《疏鈔》，努力研習，會校諸本，列舉缺失，乃和蔣維喬、李圓淨、黃幼希等諸居士組成『華嚴疏鈔編印會』，並禮請應慈長老出任導師，經諸大德協力同心，於一九三七年開始編輯，歷時五年終成《華嚴疏鈔》會本。」（摘自持松法師〈疏鈔會本底本重編序〉）

賢度法師又補充：「一九四二年刻版，一九四三年印行五百部，當時需要募款法幣二十萬元，相當於現在八百萬台幣，在一個戰火剛熄、百廢待興的大環境中，這是一件多麼艱難的壯舉。

「一九三六年，上海蔣竹莊居士等人亦組成『華嚴疏鈔編印會』，彙集宋、金、元、明、清以及日本、高麗等二十餘種版本，逐字校對，版本對勘，編印成《華嚴經疏鈔》（俗稱上海本），已是相當完備。」

重新編輯《華嚴經疏鈔》的想法，成一老和尚在一九九八年六月四日於華嚴蓮社退居寮〈鈔序〉中說：「會本之出，美則美矣，然猶未盡善焉。曾聞先師祖南公，慨嘆《華嚴疏鈔》會本之難讀。於習講大經之後，參考《疏鈔》會本，亦嘗苦其頭緒紛繁，難究其極，乃時興重修之念。其難讀如此，諒必堵塞不少志願修學大經者之壯志也。唯有重修會本一途。」

於是，「事隔五十九年，終於在一九九四年提出計劃，以上海本為底本，重新分段編排。幸得高明道、許洋主兩位教授負其專責發心成就。並由賢度住持，徵召華嚴專宗學院第三屆研究所畢業生，心觀、修德、自莊、體成、慧學、體信等人，組成『新修華嚴經疏鈔整編會』，全力著重在《華嚴經疏鈔》的重新編輯。經兩年集體審閱，並加新式標點符號、分章分段，蒐查引文出處，以便於讀者閱讀時，快速知道所引用的經文出自何處，編定索引、目錄等工作。二〇〇一年九月二十二日『新修華嚴經疏鈔』發表會發行前九冊，二〇〇四年七月一日，二十冊完成，前後歷時十年。」成一老和尚又說。

賢度法師亦言：「二〇〇一年至二〇〇四年出版《新修華嚴經疏鈔》二十冊，是當今修學華嚴大經者之唯一參考書。但出書後，收藏管理又是一件巨大的工程。前四十卷一至九冊一千箱九千本的《疏鈔》書籍，皆分類存放在蓮社地下室書庫。豈料二〇〇一年九月十七日納莉颱風襲捲台北，單日測得的雨量多達四二五公釐，根本來不及預作防範。」一傾刻間，暴雨迅速灌進地下室，賢度法師立刻召集全社僧眾，自己站在第一位，以接龍方式，把每箱重達十公斤的《新修華嚴經疏鈔》一一搬移到一樓大廳。「一千箱的書搬完才注意到，大水已深及腰部，再不走就要滅頂了。」賢度法師回想時說，「當時真不知哪來的力氣，事後才覺得怕呢！」

二〇一三年，賢度法師與法鼓文理學院數位典藏組專案合作，先是開設華嚴數位教學課程，編輯賢度法師華嚴著作集電子書十六本。隔年二〇一四年，進行《新修華嚴經疏鈔》數位化編輯。

經二十年後，二〇一四至二〇一七年十一月，歷時三年《新修華嚴經疏鈔》數位典藏正式啟用，並正式於網站上發行。《南亭和尚全集》亦於二〇一七年十月至二〇一九年十二月完成，目前數位整編《成一和尚著作集》仍在進行中。對此，賢度法師勉勵大眾：「希望藉此嘉惠學者、學生研讀時的便利性，並珍惜紙本資源，廣為流通，達到華嚴普及化，但望諸學者，莫將方便等閒看。」

跨越一千兩百多年，澄觀大師也跟著我們來到新時代，他的著作以全新風貌再次面世，無遠弗屆地穿越古今，甚至進入數位化的網際網路領域，這應該是他始料未及，或者他也早已知道了，無論如何，他應該都會笑的了。

開啟華嚴學術研究風潮

二〇〇五年三月五日，賢度法師自印度留成歸國，正式取得博士榮譽後，她更全心投入，積極於各項華嚴專題論壇及學術交流，開啟國內外華嚴研究的風潮。五月九日，賢度法師以華嚴專宗學院院長身分與監學天蓮法師，帶領研究所全體同學所組成的大陸弘法學術交流訪問團，至北京中國佛學院、中國佛教文化研究所及北京大學宗教學系、哲學系，展開為期兩天的學術交流訪問。

九日上午，她們初抵北京後，直接前往中國佛學院訪問，該院教務長向學法師及研究、教授華嚴的覺深法師負責接待。賢度法師致贈一套新出版的《新修華嚴經疏鈔》，向學法師接到這份禮物很是歡喜，他大致說明中國佛學院學習的概況，以及大陸研究華嚴的師資缺乏。賢度法師聽完後，欣然答應提供更多的華嚴專門教材，期望能在大陸培養更多的華嚴教學及研究人才。

約十點鐘，訪問團一行到達中國佛教文化研究所，以所長楊曾文教授為首的諸位佛教學者，早在所內恭候已久。賢度院長照例贈送一套二十冊的《新修華嚴經疏鈔》，楊教授則回贈研所所出版的佛學研究文集。雙方並進行學術交流，由在場諸位佛教學者，針對華嚴的眾多疑問：台灣研究華嚴的概況、華嚴專宗學院的教學方式與課程內容，以及現下推動華嚴學風的實際行動和成果，和未來的展望等等，向賢度院長一一提問。賢度院長應答如流，令楊教授嘖嘖稱服法師的辯才無礙，亦讓與會學者們經由一席交流，對華嚴教學工作有更具體的認識。

十日上午九點，賢度法師以「華嚴宗源流」為題的專題講座，在北京大學宗教學系及哲學系二樓教室進行，由副主任胡軍教授主持，賢度院長先致贈一套《疏鈔》給該所，隨後以多媒體教學方式開始演說，並對同學們提出的問題逐一釋疑。在場有北京大學宗教學系主任樓宇烈教授，與北京大學國學研究院暨宗教學系、哲學系師生共同參與，樓主任特別感謝：「賢度法師是第一位到大專院校講學的出家法師，賢度法師來了，我們佛教八宗的課才齊整了！」

當日下午兩點鐘，兩岸學術研討會在同系一樓教室舉行，由華嚴專宗佛研所兩位研究生，各提出一篇論文做為研討的主題。首先是三年級禪祥同學發表〈《華嚴經》四聖諦思想初探〉，再由一年級宗良同學發表〈《華嚴經・菩薩問明品》業果甚深義研究〉，論文發表完，開放給與會師生自由提問，進行討論。

歷時兩小時的研討會發言踴躍，充分發揮兩岸學術交流的熱烈，欲罷不能，但因時間有限，最後由賢度法師和學生們一同齊唱華嚴字母，祈願世界和平做為結語，也為此行學術交流訪問的行程，劃下圓滿句點。二〇一六年十月一日，北京大學宗教學系樓宇烈教授率領北京大學國學研究院暨宗教學系、哲學系師生來台回訪，與華嚴專宗學院再次異地舉行學術交流座談會，讓華嚴花開兩岸，更加繁華滿枝。

從二〇〇一年到二〇二一年，賢度法師所參與有關華嚴學術交流、教學合作及各種研討會之多，不勝枚舉，其成果亦豐富多彩[附錄2]，比如：賢度法師的《華嚴學講義》簡體字版，於二〇〇六年由大陸宗教文化出版社出版，現為中國大陸大專院校相關科系指定教科書。該年，賢度法師應邀至山東大學哲學系進行華嚴專題講座時，一推開演講廳的大門，現場兩百位學生人手一本《華嚴學講義》不停揮舞著，並發出熱烈的歡呼聲，原來大家都來一睹作者的廬山真面目。

華嚴心靈的碰撞

據說，在沙漠中久旱不雨時，所有的植物與花朵都在等待十幾年來偶然來的那一場雨，當那場雨來臨時，所有的植物和花朵都炸開似的，一下子都盛放開來，空氣中瀰漫著一股特別的氣息，隨風飄散，讓人都沉醉其間。

無數荒漠般的心靈，在等待著賢度法師一行人的這場法雨，讓心靈的花朵盛開，雨水化為淚水，滋潤著久旱的貧瘠，在心裡播下一顆華嚴的種子，就像當年賢度法師年輕無助的心，找到了方向，這些華嚴心靈的碰撞，如同一首永恆的謳歌。

二〇〇五年五月十日，賢度院長與天蓮法師帶領佛研所的學生們，結束兩天的北京訪問後，旋即飛抵上海，等待她們的是上海玉佛寺的瘋狂粉絲。

賢度法師說：「二〇〇五年五月十一日，上海玉佛寺第一百期的星期佛學講座，是我在那次大陸弘法的最後一場講經。由於聽眾非常多，還分為主會場和分會場，分會場用現場錄影轉播給大眾。而上海佛學院的男眾與女眾班學僧，則分別坐在主會場的兩側前排，居士們在後面依序而坐，約有七、八百人之多，眾人認真的程度確實少有。如果你在現場，就會感受到一種互動的心靈在碰撞，有一股力量驅使你自然而然地接受佛法的洗禮。」

賢度法師具有她獨特的鼓舞力量，她的講座十分生活化，最主要是她能啟發人們內心對自身本具佛性的觸動，讓他們時時想及——當短暫的生命結束後，要去往哪裡——的終極關懷。現場充斥一片感動的低泣聲，許多信徒不由自主地走上講台，將供養金放在講桌上。還有一位女居士拿著一條親手織的圍巾，當作獻哈達似地圍在賢度法師的脖子上，也不管她當時還在講課。更有意思的是，一位信徒拿了一張白紙請賢度法師簽名，說要帶回家供著保平安。

「講座結束後，數百位信徒們一擁而上不讓我走，這是上海玉佛寺前所未有的情況，會場主持人——上海玉佛寺寺務處副主任慧覺法師，只好動員所有義工們，拉起一道長長的人牆，讓我可以離開。好不容易上了車，車子要從玉佛寺開走時，汽車周圍仍聚滿虔誠的居士們猶不肯離去，有的還紅著眼眶拍打車窗，用他們的話說：『聽完師父的講經後，我們太激動、太幸福了。』這就是所謂『人身難得，佛法難聞，善知識難遇』，所以我們的交會更顯難得可貴，壓抑了幾十年的信仰，被打開來的爆發力真的是很驚人。」

不僅是信眾間的激情交會，還有法友間的忘年交會。

二〇〇六年九月二十日，賢度法師應山東湛山學院院長明哲長老之邀，前往青島湛山寺宣講華嚴。明哲長老出生於一九二五年，早年禮圓瑛老法師出家，畢業於中國佛學院，在中國大陸堪稱為國寶級的老法師。多年來研究華嚴大教，深感華嚴經教的博大精深，亦非常仰慕成一老和尚，多次邀請成一老和尚和賢度法師赴青島講授華嚴。

「明哲長老德高望重，身兼各種要職——中國佛教協會常務理事、山東省佛教協會名譽會長、青島市佛教協會會長、青島湛山寺方丈、山東湛山學院院長，這些頭銜也令他不得不呈現嚴肅的一面。」賢度法師回顧說。

當天，賢度法師與八十一歲明哲老法師會面後，轉達了華嚴蓮社成一長老向明公長老的問候，明哲長老隨即陪同賢度法師參觀湛山寺的臥佛殿、藥師塔等等，並在寺院的素食部設素齋款待賢度法師。明哲長老一高興就夾起素料做的雞頭，對賢度法師說：「今日遠道而來，我先敬你。」

大陸當時的素齋仍有動物形狀的素料，但因賢度法師從不吃有形狀的素料，便對長老幽默地說：「台灣有個習俗，老闆若要開除一個員工，吃飯時就把雞頭對著他，我才剛下飛機，課也還沒講，就要請我走路嗎？」長老一聽哈哈大笑，緩和些尷尬氣氛。

「這時當家法師很小聲地跟我說，長老很嚴肅的，從來不笑，今天還真神了！」賢度法師笑言。

當晚七點，賢度法師在湛山寺的玉佛樓大講堂為全體僧眾及學院學僧、青島居士宣講《華嚴經》源流，明哲長老親自禮請賢度法師陞座說法，在向大眾介紹完法師後，自己也坐下來十分專注地聽講。賢度法師講完後，明哲長老不僅認真地提出問題，提醒大家注意講座的重點，還稱讚賢度法師對華嚴宗的歷史、教義十分熟稔，可見在專研華嚴方面下了很深的工夫。

渴望著華嚴的智慧，使眾人如飛蛾般迎向著光明，賢度法師精采的演講，不在於妙語如珠的表現，而是以華嚴的精神，去鼓勵大家發心一同來學習，弘揚華嚴教法，是這樣的真誠博得了台下熱烈的掌聲。隔天，賢度法師繼續講解《華嚴經》要義，還應僧眾的請求唱誦華嚴字母，這次嘹亮莊嚴的梵音，將賢度法師此行弘法推向高潮，梵音度眾的力量即是如此。

最後，明哲長老以一尊觀音聖像贈送賢度法師，感謝賢度法師及成一長老對湛山寺佛學院的支持，並誠摯邀請成一長老、賢度法師明年能再來湛山寺弘法。如此圓滿結束為期三天的華嚴講座，賢度法師搭乘東航班機飛離青島，前往南京中國佛學院棲霞山分院繼續講課。

三年後，再續因緣，二〇〇九年九月二十六日，大陸山東煙台龍口南山禪寺華嚴世界毗盧寶殿落成時，全堂佛像開光暨明哲方丈陞座慶典法會後，在堪稱目前世界第一大銅像坐佛底座中的莊嚴法堂，成一老和尚正式傳法給明哲長老。

賢度法師感佩說：「明哲長老曾親赴台北華嚴蓮社，拜會成一老和尚，並發願要畢生專研華嚴，故向我師父請求拜法受記。一位已然耄耋之齡的長老級法師如此虛心求教，可謂壯心不已。大願悉成滿，百福自莊嚴。成一老和尚為了滿足他的心願，這次專程飛赴大陸山東為其傳授法脈。」

該日傳法法會隆重，簡潔莊嚴。成一老和尚威嚴地端坐在法堂的法座上，如儀如法，並委託法子齊魯首剎濟南神通寺住持界空法師代為宣讀法卷，明哲長老儘管高齡，仍虔誠地長跪不起，現場觀禮者無不為之感動。「老法師為得到華嚴真傳，可說是傾心盡力了。明哲長老得法於成公長老後，即成南山律派第三十八世，泰州光孝堂上第十八代，華嚴正宗第三十七代傳人。」

傳法大典後，所有觀禮者紛紛祝賀明哲長老，八十四歲的明哲長老又以一位法子身分，親熱地扶著九十五歲的成公長老。「看到這一切，大家都覺得華嚴大教，讓這兩位國寶級的大法師如此親密，而由於他們，華嚴宗教義一定能弘傳廣大。」接著，賢度法師又俏皮地說：「有趣的是，這位地位、輩分這麼高的長老，拜了我師父之後，反而和我稱兄道弟，稱我為『法兄』，一直說我很有智慧，令我哭笑不得。」

賢度法師度眾風格，富含機鋒與自信，既不同於以往所見的女眾比丘尼，在男眾比丘中亦為少見，她展現著沒有男性或女性的平等特質；在承擔改革的使命上，她也當仁不讓，讓我們見識到一位改革者的熱情與決心，彷彿當年立志出家的女孩，大聲疾呼：「我要往前走！」在空中形成不斷的回音。

注釋

1 重新制定的華嚴學程規劃如下圖：

華嚴專宗研究所學程規劃表

科目 ＼ 年級（學分）	一上	一下	二上	二下	三上	三下
必修課程						
華嚴經專題講座	1	1	1	1	1	1
華嚴經講座	2	2	2	2	選修	選修
華嚴經文獻學專題研究			2	2	選修	選修
華嚴行門修證儀軌	1	1	1	1		
華嚴學專題研究	2	2				
智儼思想專題研究	2					
華嚴思想史專題研究			2			
法藏思想專題研究				2		
印度佛教史專題研究	2					
中國佛教史專題研究		2				
俱舍論專題研究		2				
禪學思想專題研究			2			
如來藏思想專題研究			2			
唯識思想專題研究				2		
學術論文寫作與研討	1	1	1	1		
學分數共計 48 學分	11	11	13	11	1	1
選修課程						
澄觀思想專題研究	2 學分					
宗密思想專題研究	2 學分					
淨土思想專題研究	2 學分					
中觀思想專題研究	2 學分					
天台思想專題研究	2 學分					
世界佛教專題研究	2 學分					
佛學日文	上下學期各 2 學分					
佛學英文	上下學期各 2 學分					
梵文	上下學期各 2 學分					

製表日期：2013.06.05

2 專題教材內容有：〈十度波羅蜜〉、〈大方廣佛華嚴經釋義〉、〈華嚴宗思想〉、〈華嚴念佛法門〉、〈十地品〉、〈十行品〉、〈十迴向品〉、〈十無盡藏品〉、〈升兜率天宮品〉、〈兜率宮中偈讚品〉、〈大方廣佛華嚴經釋義〉、〈華嚴行者對目前社會所面臨的危機之看法〉、〈華嚴經中的數量和時間觀〉、〈十定品要義〉、〈平等因果位如來出現品〉、〈入法界品〉、〈華嚴字母〉、〈華嚴宗源流〉、〈華嚴經三十九品概要〉、〈慈悲道場懺法概述〉、〈談十種智力與《華嚴經》階位修行的關係〉、〈華嚴菩薩三業自在妙用〉、〈真心妙法〉〈別業與共業及普皆迴向法門〉、〈Development of the Hua-yen sect〉、〈Inspiration from Hua-yen Sutra〉、〈華嚴經要義〉、〈華嚴學要義〉、〈華嚴的宇宙觀〉、〈華嚴宗史略〉、〈華嚴經對生命的啟示〉、〈華嚴佛七之觀行〉、〈修學華嚴之心要法門〉、〈修證功德如何成就〉、〈《華嚴經》與生命關懷的連結〉、〈《華嚴經》與十善業道〉、〈觀世音菩薩——八地菩薩的無功用行〉、〈自力與他力之淨土行〉、〈華嚴菩薩五明利生與人間菩薩行的可能性〉、〈成就信心的機智問答——緣起甚深〉、〈華嚴行門修證儀軌〉、〈華嚴帝網無盡觀門〉、〈華嚴字母梵唱〉、〈華嚴佛七儀〉、〈華嚴的世界觀〉、〈普賢行願之實踐〉等。

3 賢度法師關於華嚴中英著作共二十二本以上，著有：《轉法輪集（一）》、《轉法輪集（二）》、《華嚴學講義》、《佛教的制度與儀軌》、《禪學講義》、《觀音法門》、《華嚴學專題研究》、《華嚴淨土思想與念佛法門》、《善財童子五十三參的故事》、《華嚴經十地品淺釋（上冊）》、《華嚴經十地品淺釋（下冊）》、《華嚴經世主妙嚴品淺釋〈上冊〉》、《華嚴經世主妙嚴品淺釋〈下冊〉》、《華嚴經講錄一》至《華嚴經講錄七》、《華嚴文獻目錄》、《Development of the Hua-yen School During the Tang Dynasty（641A.D. To 845A.D.）》等。另有聲出版：《華嚴宗源流CD》、《華嚴宗源流VCD》、《華嚴字母CD》等及華嚴教學DVD影音出版十八套。

附錄2

賢度法師華嚴學術交流及其他

一、華嚴國際學術合作

二〇一二至二〇二一年，連續九屆舉辦華嚴專宗國際學術研討會共有兩百二十二位學者參與，並發表兩百一十九篇論文。

二〇一二至二〇二〇年，連續舉辦八屆青年華嚴學者論壇共有一百〇三位青年學者發表一百〇三篇論文，與海內外各大專院校學者進行學術交流，提升學術研究，發表了共三百二十二篇論文，培養高階華嚴專業學者推廣華嚴教學。

二〇一四年，成立國際華嚴研究中心，有組織、有計劃地推展華嚴教學、研究與觀行，進行華嚴師資培育和教案教材研發，以及華嚴典籍翻譯等多項工作，讓華嚴成為二十一世紀顯學，並培養年輕一代的弘法、教育、研修人才。

二〇一四年，指導華嚴專宗學院與浙江省社會科學院簽署合作協議，共同建立學術交流的合作機制。

二〇一五年，祖庭江蘇海安觀音禪寺恢復二十週年舉行回顧論壇。

二〇一五年，指導華嚴專宗學院與政治大學合辦「東亞視域下的華嚴思想國際研討會」。此次會議華嚴蓮社負擔的所有經費及人力，並提供場地，純粹贊助，樂觀其成。政治大學對蓮社無條件的樂助學術研討活動之舉十分感佩！

二〇一五年，指導成立「美國國際華嚴研究中心」，與加州聖荷西州立大學人文藝術學院簽署校際合作推廣華嚴學，並成立華嚴研修教育基金，互派訪問學者進行參訪交流，二〇一七—二〇一九年舉辦中英雙語華嚴經論講座，推廣全球多元現代化華嚴教學。

二〇一八年五月十九日，參加九華山翠峰寺「華嚴文化教育中心」專題座談會，賢度法師被聘為該中心顧問，在會上用自己如何創辦「華嚴專宗學院」的體會，為華嚴文教中心獻計良策。

二、國際研討交流

二〇〇五年五月五日，泰州光孝律寺舉行「紀念常惺法師學術座談會」，賢度法師針對常惺法師對今日人心之需求，做一番精闢入裡的剖析。

二〇一一年九月二十日，中國佛教會慶祝建國暨創會百年「承先啟後・展新豐采——佛教百年回顧論壇」，賢度法師以〈少子化是國家危機也是佛教危機〉為主題，說明當今面臨「少子化」與「高齡化」的社會現實問題。

二〇一一年十二月二十二至二十五日，世界佛教徒友誼會經濟發展委員會在臺北舉辦「第二屆世界佛教企業論壇」，論壇結束後邀請賢度法師以英文發表為論壇做總結。

二〇一四年四月五日，南投縣佛教會、琉璃山東方淨苑、養諄暨台中假日佛學院所承辦的「二〇一四人本佛教學術論壇——佛學院教育發展圓桌會議」，賢度法師以「走向專宗一門的教學體系・提升專精教育之辦學定位」的觀點發表。

二〇一五年七月三日，出席於土城慈法禪寺「佛教文化交流座談會」，發表「佛教的教育事業發展」——華嚴專宗學院、智光商工職業學校、復興百年華嚴道統。

二〇一五年十一月八日，出席於圓山飯店「顯揚正能量 淨光照大千」破邪顯正圓桌論壇，對於附佛外道的亂象發表看法。

二〇一八年二月十二日，東洋大學講師伊藤真及大正大學綜合佛教研究所研究員西野翠兩位日本學者，以「臺灣華嚴佛教及地藏信仰的歷史及其流變」為主題，特向賢度法師訪談。

三、學術論文發表

二〇一一年十月二十七至二十八日，應邀參加新加坡管理大學由前新加坡大使夫人李廉鳳女士所創辦的廉鳳講座（Lien Fung's Colloquium）。講座主題為「古絲綢之路——東南亞地區的跨文化交流和文化遺產」研討會，超過三十位以上各國不同領域的學者分別在紡織品貿易、陶瓷之路、貿易樞紐、藝術與文物以及宗教信仰等議題發表論文。賢度法師發表論文：〈探索婆羅浮屠佛塔與華嚴經的連結〉。

二〇一二年三月十六日，世界佛教華僧會在高雄光德寺召開的「立足現在・放眼未來」僧伽論壇，應邀參加發表論文：〈兩岸和平發展與佛教發展之我見〉。

二〇一二年五月二十六日，國立臺灣大學佛學研究中心、臺灣華嚴學會華嚴學術中心主辦「第三屆華嚴國際學術研討會」，發表論文：〈從《華嚴經》談兜率淨土法門〉。

二〇一三年六月十三至十七日，第五屆海峽論壇・閩臺佛教文化交流週，賢度院長發表論文：〈透過課程規劃提升專精教育的地位—以華嚴專宗研究所為例〉。

二〇一三年十一月三十至十二月二日，於浙江龍泉崇仁寺參與「慈行慈愛・傳遞正能量—二〇一三浙江國際華嚴文化節」，「華嚴禪國際學術研討會」，賢度法師於研討會的第一場主題講座中，發表論文：〈初地菩薩十願之研究—以《華嚴經・十地品》之歡喜地為主〉。

第七章

遠行　華嚴無國界

飛行到彼岸

一次次她在空中飛行，橫跨太平洋或印度洋……，前往世界各地，在那裡，總有虔誠的信徒們正在等待她的到臨。夜晚的飛機離天空那麼近，離地那麼遠，她在雲層中，世界即將甦醒，又是一次的遠行，她想。

每一次的遠行，似乎都是一項任務，都是一趟未知，她已經習慣去克服困難，任何問題一定有解決的方式，她不擔心這些事；這一世的努力必然延續到下一世，無常雖然帶來考驗，她卻十分坦然：「細胞每天生了又死，死了又生，我們怎麼去預設太多東西，就像人和人的見面，要靠直覺來坦誠相見，人們常被身上的頭銜壓得變得很制式，可是這世界的真實就是無常。」

如果解除了頭銜，賢度法師的內在小孩是一個可愛而天真的孩子，喜歡抿嘴唇，喜歡笑，展現她不受拘束的那一面：「我母親常說，我是從很遙遠的地方來的。」每一世的靈魂故事，也是一個時間長河的遠行。一世世的靈魂故事，都有其不同的價值和意義，生命是短暫的，但靈魂卻是永恆的。每位菩薩降臨投生這一世並不是來償還業力的，而是乘願再來。

關於菩薩的乘願再來，賢度法師這樣說：「有些人是來還債的，有些人是乘願再來，對於履行菩薩道的行者而言，一旦來轉世，從出生到這一生的角色扮演，都是菩薩在實踐自己的人生試煉。只是我今天透過修行去實證，並讓我看見過去世的一幕幕歷史，我這樣做的目的，是要很清楚我已經完成了什麼，還有什麼未完成的，知道我還差什麼，這一世未來的二十年，我要把它完成。」

成佛需要三大阿僧祇劫，為了成就菩薩道，菩薩們一地一地修行每一地智慧。從初地布施、二地持戒、三地安忍、四地精進、五地禪定，到六地般若，六度波羅蜜完成後，來到第七地，這中間經歷了第二個阿僧祇的長遠時間，所以七地又稱為遠行地，成佛又更接近了，這一地菩薩唯修無相，是方便波羅蜜的圓滿之位。

賢度法師編著《轉法輪集一》提及：「此菩薩乘於方便波羅蜜船，行於實際海，以願力故不證涅槃，以深淨心，成就身、語、意業；所有不善業道如來所訶皆已捨離，一切善業如來所讚，常善修行。世間所有經書、技術，皆自然而行，於念念中具足修習方便智力及一切菩提分法。」

從初地到十地，一個華嚴菩薩修行完整十度波羅蜜需要兩個阿僧祇劫這麼久的時間，走了這麼遙遠的一段路才觸及所有努力的邊際，可以來到無相方便的祕密花園了。七地菩薩可以像魔術師一般，從各種平行時空打開方便之門，自然取得一切，經義也好，知識也好，或前世今生的輪迴故事等等。許多大成就者、大修行者，他們不只是一世的修行，而是無數世的修行，所以在這一世他們已經越過了六度波羅蜜的那個門檻，而進入了第七地以後的證悟了。因此，洞察過去、現在、未來，對他們而言就像是平行時空的穿越。

菩薩不畏生死輪迴的歷史印記

她可以追溯到的最早的前世，大概是西元前一千一百多年周文王時代，而她所捕捉到的前世印記，幾乎都是顯赫一時的歷史人物，不是出生於帝王之家，就是飽讀詩書的書生狀元。更接近的這幾世，都是出家的修行人，賢度法師說：「每一個人出家背景不同，不一而論。但很多出家人的過去世是皇親貴族，他們見盡繁華，最後放下生死，走到出世這條路，這也是一種靈魂的尋求解脫。」

她的過去世曾經是南北朝時期陳朝的一位皇帝，大約西元五百多年，在位時間雖然很短，十幾年而已，但仍興修水利、開墾荒地，鼓勵農事，恢復社會經濟的發展，算是一段清明而安定的時期，可惜這位皇帝五十三歲就駕崩了。

隔了五百年，在西元一千多年，她再度成為皇帝，也是歷史上一位功績顯赫的人物，在所有轉世中這一世應是最具有影響力的，這時是北宋時期。這位皇帝在位四十一年，勤儉愛民，氣度恢弘，廣納建言，在政經、軍事、文化、科技方面都有相當卓越的貢獻，成就歷史上難得一見的太平盛世。不管是積極進行改革，整治政治貪腐，創造經濟富足，或是倡導科舉，成就宋朝文學，同時與外邦和議，締造五十年和平共處⋯⋯；以上都是這位皇帝在歷史上輝煌的成績，但也因為積勞成疾，而很巧合地和上一世的陳朝皇帝一樣，都是在五十三歲就過世了。

儘管如此豐功偉業，他個人還是有許多遺憾，比如未有皇嗣，自己的親生兒子都一一夭折，最後只好另立姪兒為接班人。而他在登基後才知道自己的生母是誰，也才知道母親為自己的種種犧牲，但一切為時已晚，母親已經過世了。雖然他追封為皇太后，但未能對生母盡孝，亦是他生平一大憾事。

時間來到近代的西元一千八百多年，這一世她出生在日本京都，是天皇之女，貴為公主身分，卻被和親下嫁給幕府將軍。夫妻間感情是少有的恩愛，可惜丈夫在一次帶兵征伐途中病發過世。二十一歲的她成為寡婦，便落飾出家，在院宮內獨自清修，後來還出面為幕府和天皇進行遊說，避開一戰，達成無血開城的和平事蹟，三十二歲時她因病去世，結束短暫的一生。

在幾年後，跨越十九世紀末到二十世紀初，她成為中國杭州名剎的一位禪師，歷經混亂的清末民初世局，也參加過北伐，因目睹戰場死傷無數，感慨之下，遂出家為僧，成為住持。在中日抗戰時期，收容大量難民，寺院也因此混亂失控，抵不過日軍的強橫霸道，只好避居他方閉關修持。抗戰結束後，回寺主持事務，收徒不少，但已超然物外，不爭是非，未及國共戰爭結束便已圓寂。

就像是一個靈魂的契約，「每一世都有那一世的任務，但不代表那一生就是完整的，可能是環境，或是歷史背景，政治因素，或者他做錯了，都會希望在這一世為他做一些修補。特別是真命天子，他們是奉命下凡，如果沒有做到完整，就很難交差。比如那位宋朝的仁君，是位自我要求很高的人，整天憂國憂民，他認為當時很多事情沒有做得很好。」賢度法師笑說。

那麼這一世的靈魂契約又是如何呢？

賢度法師說：「幾千年的歷史和佛教三大阿僧祇劫相比，簡直是九牛一毛的。我也曾轉世過蒙古大喇嘛，到這一世已經是第四世出家，所以這一世若能將過去世的理想貫徹實踐，以修行的方式救度眾生、勸世教化，帶動人間菩薩的實踐，鼓勵修習佛教十善，亦如文昌帝君〈陰騭文〉所說[注1]，修養以此為典範，能完成這些就是功德圓滿。嚴格講，值此末法時代，深奧的佛學也許大家比較不能接受，但教人行善，做道德基礎，避免輪迴，也是一種方便法。」

賢度法師的千年行願，不僅跨越了時間，也跨越了空間，華嚴無國界行者就是她今世的靈魂契約：「菩薩不像神仙是來體驗人世間的喜怒哀樂，明明知道生老病死，但是為了實現菩薩道，他就不能進入到低層次的涅槃，這叫做不住道行勝。而這些履歷回顧，就算是一個菩薩歷練生死的體驗吧！」也可說是無限的浩瀚銀河生命，宇宙之海中的一個個大海印記。

賢度法師又說：「每一個前世都會影響這一世，也會帶動這一世的八識田，如果能知道某一世的缺憾，影響至今，可以在今世盡力去圓滿它，所有我能追溯的前世，可謂是一次次菩薩不畏生死輪迴的歷史印記。不僅是出生或童年種種模式，更是這些千年來的印記，讓我走到今天這裡，而這也是一趟非常漫長的靈魂遠行。」

此際，飛機即將降落，這位遠行者已經整裝待發，準備進入她下一趟行程，完成不可能的任務。

接任美國蓮社住持

二〇〇二年才剛翻開新頁，跨越洲際的空間遠行，她來到了位於美國加州米爾必達市（Milpitas）南大道（South Main Street）的美國華嚴蓮社（ABLS），是台灣華嚴蓮社在美國的分院。

「二〇〇二年一月我去了美國一趟，接受《Time》時代雜誌的邀請，參加週末早餐祈禱會，受邀的有回教、基督教、天主教、佛教等各大宗教領袖，希望能化解回教徒跟其他宗教之間的衝突。因為九一一事件之後，回教家庭的小孩在美國當地被排擠，所以《Time》組織各宗教團體一起祈禱，我也藉此用英文向大眾做簡報。」賢度法師解釋道。

迎接她的是冬日晴朗的加州陽光，「加州的陽光非常燦爛，蔚藍的晴空萬里無雲，給人無比活力的感覺，空氣清新，但緯度的關係，氣溫一向偏低，早晚溫差尤為顯著。因為空氣、水質非常好，幾乎每家每戶都種了很多植栽，不管種什麼花，都開得十分豔麗，常常一夜之間能目睹近十朵曇花花開，一開起來像條龍張口吐水似的，散發出濃郁香氣。所以曇花一現，在ABLS十分常見，開完的花朵收藏在冰箱裡，夏天可以燉湯，清肺止渴，水果也多到吃不完。我常說這裡大概只有釘子長不起來。」

這裡的波斯菊、梅花、鼠尾草、玫瑰、繡球花、鶴望蘭、水仙以及楓樹等等，將四季點綴成美麗而充滿變化的織錦一般。綠色的草坪延伸著蔥蘢綠意，林蔭掩映間，兩幢潔淨典雅造型的黃、紅建築，猶如度假村般的兩層樓禪院，錯落在商業街的最前方，讓人一眼望去，整個身心都澈底寧靜下來。建築旁圍牆上偌大的「美國華嚴佛教會」——華嚴蓮社醒目的招牌，轉眼在美國加州已經矗立超過三十年。

賢度法師又介紹：「二〇〇四年前，這裡還只是一座兩層樓的木造建築物。一樓是大雄寶殿，為法會共修的場所，旁邊是平日接洽佛事的事務處；二樓有一間做早晚課的小佛堂，還有廚房、飯廳和幾間住眾寮房。」

在美國華嚴蓮社的簡介中，有一段創社緣起說明：「一九八四年冬，成一和尚赴美訪問王本空、吳允良、蔡樹強、胡憲文等蓮友，在餐會中，幾位留美學生蔡體行、陳明章等倡議，邀請長老法師到美國成立佛教道場。成一和尚有感於佛法弘傳海外的重要性，且加州灣區又是華人聚居之地，是故欣然允諾；不久，即買下舊金山南灣地區聖荷西市（San Jose）民房一棟，做為臨時佛堂。

「一九八五年暑期，成一和尚率領弘度、心明兩位學僧來美開始布置佛堂，並成立佛學研究中心，禮請旅美僑領羅無虛、李傳熏兩位居士擔任中心講師。於時，有吳允良居士代為向美國政府，申請辦理宗教團體登記，定名為『美國華嚴佛教會』，成一和尚為首任會長。」

之後，成一和尚利用每年暑假期間來美弘法。因原坐落於聖荷西市東北隅的佛堂交通不便，一九八六年秋天，成一和尚在市中心購入住宅一棟，並將佛堂遷入。隨著前來念佛聽法的信眾日益增多，一九八九年四月，又於南灣聖塔克拉拉郡米爾必達市南大道，購得商業土地一片，成為蓮社永久道場的興建基地。經一九九〇年四月一日至一九九三年五月十六日初步建設後，到一九九八年九月，為因應蓮社法務、會務活動的發展需求，成立美國華嚴蓮社擴建計劃籌建委員會，並擬定增購土地及最吉祥殿（大雄寶殿）新建工程計劃。

二〇〇二年四月，召開美國蓮社擴建籌備會議，預計大殿興建後，約可容納三百人參與共修，停車位五十個。而原來的樓房，一樓改建成為寺務處、知客堂、大寮以及五觀堂（齋堂），二樓規劃為住眾寮房及禪堂。

二〇〇二年一月十九日賢度法師搭機前來美國蓮社弘法，一方面是為參與九一一後，True Family Values所舉辦的早餐祈禱會。一方面適逢釋迦牟尼成道紀念日，蓮社舉行《華嚴經》定期法會，與美國信眾一起恭誦經文並開示，另也應邀在居士林講經說法三天，此外還有額外的收穫，那就是以英語度眾，結交外國法友。

「美國加州和台灣相差十二小時，當天葛珍、賀玉章、孫木通等居士及蓮社多位信徒，前來獻花接機。晚上還辦了一場歡迎餐會，有多位護法一起參加。其中淑圭居士，介紹她的外國朋友傑西皈依三寶，我為她取法名為悟淨。」這是賢度法師在學習英語五個月之後，以英語度外國信徒的開端。

「這趟美國弘法，特別宴請一位巴西友人Mr.Miguel，他是我們的鄰居，他把土地賣給蓮社，讓我們擴建大雄寶殿，再回租一塊地做為修車廠。Miguel有點孤僻，不太與不熟的鄰居往來。我經仲介介紹和他見面，原本與蓮社處得不算融洽的他，因與我相處十分投緣，關係大有轉變。這次我們見面交談時，他很訝異我可以用英語和他溝通了。

「中午時分，Miguel準時赴約，為了建立這份失而復得的友誼，我們在廚房大顯身手，端出道道佳餚，讓他吃得欲罷不能，開玩笑說他每天都要來報到。飯後，要教他中文，帶他到事務處觀賞『華嚴宗源流』VCD，賓主盡歡地互道再見。處處廣結善緣，就是最重要的方便法門，對方讓出他的土地，成就我們的善業。我們雖是出家人，卻要懂得放下身段，度眾生要有四海一家的胸襟。」賢度法師說。

二〇〇一年九一一事件後，美國當地居民對於回教徒產生嚴重反彈，產生許多衝突事件。為了消弭歧見，化解彼此的對立，促進族群和諧，《TIME》時代雜誌所贊助的團體True Family Values，特別於週六舉行早餐祈禱會，邀請世界不同宗教團體共同參與，賢度法師代表佛教團體出席。「這項活動主要為非裔民權領袖馬丁路德・金恩博士的誕辰紀念日做追悼祈福儀式，更冀望世人應追隨金恩博士的理念，合力消弭種族及宗教歧視，讓每個人都能享有平等與正義。期望全世界的人們，能於和平及寧靜的心中，產生幸福與智慧，並為自己創造更美好的未來。

「早餐祈禱會當天，由我率領美國蓮社多位信徒一起參與盛會，一大早下起好大的雨，信徒們冒著大雨，從各地開車趕來。女居士們穿著藍底、粉紅花案的中國傳統旗袍，男居士們則穿著西裝，打紅色蝴蝶結，盛裝與會。一進場典雅整齊的隊伍，令在場人士眼睛為之一亮。輪到我們上台時，先清唱一曲做為開場，再唱誦觀音菩薩讚偈及聖號，為金恩博士祈禱，我再發表簡短英文演講，獲得與會各宗教團體一致喝彩，圓滿達成一場宗教與國民外交。」也完成賢度法師此行來美最主要的任務。

加州是華人居住較多的地方，難得有法師來此時，都會受邀到居士林演講，賢度法師此次也應邀去講《華嚴經・十地品》。北美冬天寒冷，雖然氣溫很低，又下大雨，但信眾仍踴躍前來聽講。此外，美國蓮社每月舉行一次藥師寶懺法會，從早上九時進行到下午四時，賢度法師也親自主持並說法。當日陽光普照，但氣溫仍偏低。「這星期輪到另班居士接掌廚房典座工作，大家發心護持蓮社法會的運作，實在令人感動。」賢度法師說。

每次到美國弘法，賢度法師都會為信徒介紹藥師法門：「《藥師寶懺》是依《據藥師本願功德經》做成懺文加上佛號。希望禮拜者能隨文觀義懺悔過愆，反省自己過去身語意三業的罪愆，曾經講錯的話，做錯的事，生起各種不好的念頭，都能藉由這個法門懺悔清淨，得到平靜與安寧。藥師灌頂真言的『鞞殺逝、鞞殺逝、鞞殺社』，是把藥拿給眾生吃的意思。眾生的病包含身體和心理，外在及內在的病，藥師如來是應病與藥。知道自己有病，一定要把握修行時機，以懺悔業障，將功德回向歷代宗親、父母、師長、冤親債主，解冤釋結，讓他們往生淨土，我們的修行及家庭事業才能夠圓滿。當你剛開始修行一個法門時，可能會有業障出現，這是一種考驗，考驗我們對佛法的信心，經過考驗之後，修行的工夫和境界就會愈來愈高。有了堅定的信仰，就能和這個法門的本尊相應，在臨命終時的剎那間，一彈指頃，〇・〇一三三秒，馬上就可以抵達佛國淨土。」

二〇〇二年中國春節新年轉眼即至，值此農曆年歲末之時，一月二十一日，蓮社照例舉行信徒聯誼晚會，大家一起在海外送舊迎新，每人準備一道菜餚，共襄盛舉。「晚會菜色琳琅滿目，月碧居士準備壽司和烤白菜、悟莊居士的炒年糕、天蓮法師的水果盤，還有咕嚕素肉和沙拉、仁貴居士的白果湯和蓮蓉湯圓、彩琴的紫米露、茱蒂的炒米粉和炒馬鈴薯、悟光的糯米蓮藕、葛珍的蛋糕、淑圭的菜包等等，另加多道外燴，讓與會人士大快朵頤一番。」

歡樂的年節氣氛充滿在遙遠的異國土地，彼此因著蓮社而凝聚了力量，思鄉的情愁也有了一份寄託，且在佛法上，亦能日日增進。賢度法師感受著信眾交融的歡喜心，同時公布蓮社將要興建的大雄寶殿外觀全貌，及現階段作業情形，大家引頸企盼的擴建夢想終於逐步要實現了，無不歡欣喜悅。

而這天正好是賢度法師生日，她率先唱了兩首歌曲，帶動現場氣氛，接著信徒們推出生日蛋糕。在場天字輩的弟子們拿著粉紅色蠟燭，圍繞身旁，分別以中文、英文歡唱生日快樂歌，鄰居Miguel也以西班牙文唱生日快樂歌祝福，快樂的笑聲洋溢在這個美好的夜晚，度過她在美國難忘的四十二歲生日。

美國蓮社擴建計劃成為加州當地重要大事，孫木通居士介紹《世界日報》記者來訪問賢度法師，賢度法師一一就蓮社現有概況，未來擴建的大雄寶殿及周邊設施等等詳細說明。第二天，《世界日報》即刊出此則消息。轉眼一個多月的美國弘法行就要結束了，賢度懷著不捨的心，二月十六日下午應加州華僑相助會邀請，演講《觀音法門》。

二月十七日，中國新年農曆正月初六，美國華嚴蓮社首次舉辦齋天法會。當日計有二百五十餘位信眾參加，法會莊嚴隆重，信眾無不深感法喜充滿，賢度法師為多位信徒舉行皈依儀式，並為信眾往生親屬舉行幽冥皈依。賢度法師於當晚十一點搭機返回台灣，臨走前的下午仍不忘召開會議，並教唱〈準提神咒〉偈讚。晚上七點，多位信徒送機。在機場的休息餐廳，負責大雄寶殿建造的張志禹工程師也趕來送行，並商討如何爭取時效，進行大雄寶殿擴建等諸多事宜。就在眾人揮手告別下，賢度法師登上飛機，離開美國。

兩個月後，二〇〇二年四月，成一老和尚來美召開美國蓮社擴建籌備會議，由楊良淵建築師詳述最吉祥殿的建築圖，張志禹工程師講述申請興建經過，以及申請土地使用執照等事宜。五月八日，老和尚率領住眾及信眾一行七十多人，出席市政府舉行有關蓮社擴建工程計劃的公聽會，接受九位市政府議員代表的審核，一致通過擴建工程申請，總算拖延了一年多的申請許可登記，歷經各種繁瑣手續，方始完成。

二〇〇三年八月三日，賢度法師再飛美國，是為美國蓮社舉行最吉祥殿新建工程的動土典禮而來。同時，成一老和尚也在這日，正式將美國華嚴蓮社的住持職務交付給她，是為美國蓮社第四任住持，並舉行新舊任住持交接典禮，邀請智海長老送位，艾和諧市長（Jose Esteves）監交常住印信。

賢度法師對外期許：「將以實際的行動推展弘法工作，希望能將美國蓮社建設成一座現代化的佛學研究中心，培養更多佛教人才，並提供給信眾最完善的服務。」

但賢度法師此時還在印度德里大學修習博士學位，她心中暗想：「要如何兼顧美國蓮社，真的是太為難了。」不過，另一方面她還是深信，當一個人被選擇去迎接挑戰時，轉個念來想，他必然是具有這個能力可以去完成的，即使是最艱鉅的任務，「面對承擔，捨我其誰——這就是做為一個法師的號召力。」

就這樣，賢度法師一邊在印度大學攻讀博士，一邊忙於美國蓮社的建設，二〇〇四年元旦，她來美國蓮社主持創社十九週年慶，旋即離去；六月八日，最吉祥殿的興建工程舉行簽約儀式，新建工程預計為期十八個月。十二月三十一日，舉行上梁大典，成一老和尚領眾灑淨。這時，賢度法師也已經完成她的博士論文，準備回到台灣了。

二〇〇五年三月，賢度法師拿到博士學位後，又帶領佛學院學生去大陸進行學術交流，八月十六日，她趕來美國蓮社，一項真正不可能的任務也等著她來完成。

不可能的任務

已經忘記這是第幾次的遠行了，但這一次飛機才抵達舊金山國際機場，她便迫不及待地前往美國蓮社，「二〇〇五年八月十六日，我抵達美國蓮社，距離九月十七日預訂的落成典禮只剩一個月，可是整個擴建工程尚有六百項未完成，眼看要如期完工是不可能的事了，幾位資深居士很關心，也都來安慰說，再延長一些時間，以免壓力太大。」

「如何在一個月完成不可能的任務？」她思維著，不願放棄。最主要的原因，她說：「我堅持依約完成，是因為我不能對信徒失信。所有建設的經費都是認捐而來的，募款前後長達五年。最初是以兩百萬美金為目標而募款，到最後成本愈來愈高，變成四百五十萬美金。在美國當地募到的款項大約百分之二十，百分之八十來自台灣華嚴蓮社與僑愛講堂。僑愛講堂的募款大概有五百萬台幣，光是大殿的三尊佛像就已經四百萬，那三尊佛像是在桃園大溪用最好的檜木雕塑的，由台北蓮社三位居士一同發心供養。其他佛具、經書及殿堂等必需用品，每一項都是居士們認捐的。對於這些信徒們的無私發心，怎能隨便說放棄。」

之所以造價這麼高，是因為當地市政府把美國蓮社建築視為南大道的第一棟模範建築，新棟建完，兩年內仍要以此標準將舊棟翻新。一切都以建築法的最高規格來制定，每一項工程都要由市政府驗收，之後其他所有建築物也要以此為標準。建築整體全是鋼骨結構，基於公共安全的考量，所有建材也都是防火的，而且大殿內部採戲院等級的隔音設備，舉凡音響、空調、電梯以及保全等設施，包括圖書館的電動書架。不僅造價高，安檢的門檻也很高，所以花費的時間亦超出預期。

在了解實際情況後，賢度法師得到解決的方案：「唯一的可能，就是必須出動工程承包商老闆理查‧佛瑞斯特先生（Richard Forrest）親自監工。」

賢度法師隨即也當機立斷通知所有信徒，ABLS美國華嚴蓮社舉行為期一個月華嚴誦經會，為使建設工程得以順利完工而做加行，並邀請承包商來現場和賢度法師見面，討論後續工程如何完成。

理查第一句話就說：“If you want to ask me to do this, you have to feed me.”（如果要求我來監工，你得餵飽我。）

賢度法師回答：“OK, deal.”（好的，成交。）

「結果要餵飽理查，比餵一頭大象還誇張。早餐要打一大罐營養果汁，中午要吃一大桌飯菜，外加一整盒鳳梨酥，晚餐後要約推拿師，幫他放鬆肌肉。不過也因為理查，延誤的工程快速趕上預定的進度。」賢度法師笑言。

這一個月來，賢度法師每天早上主持誦經會，講開示，做完午供後，就到工地請理查去吃飯："Richard, come to eat."下午再前往監督進度，並預作各項籌備事宜的準備——擺設的佛像、佛具進行海運通關、卸貨後布置殿堂、寄發邀請函、籌備落成典禮等等，賢度法師第一次和外國人配合工作，就在有驚無險之下完成了。

「很幸運的是，六百項工程一一通過市府的驗收，唯獨電梯需要州政府檢查才能通過，聯絡相關單位的官員，卻回覆說，需要兩個月前預約才可能排到。靈機一動，我跟審核官說：『ABLS請柬已經發給州長阿諾・史瓦辛格先生，到時落成典禮時，讓州長爬樓梯不太好吧！』審核官一聽非同小可，第二天就來簽核通過。不過市府的消防檢驗很嚴格，不得已情況下，便以『為米爾必達市祈福』為由，發函給市府申請一天的活動，期望爭取該日舉行落成典禮。」賢度法師再次展現她靈活應變的做事方式。

我們是活的，不是死的，是活在這個世界上，不是死在這個世界上，既然是活的，就要靈活應變。所謂「方便」，不是展現神通力，而是靈活去轉變，這個世界如此變動無常，時代一直為我們帶來新的考驗。我們不是訓練自己成為解決事情的專家，或是把人生當做一次次緊急危機處理，而是激發內在的潛能，去度眾濟世，這才是賢度法師所說：「身為一個法師的號召力」，這也是賢度法師的特質——以洪荒之力盡力在每一件事，即使微小，也總是善應諸方所，廣修智方便。

轉眼來到工程的最後一天，「九月十六日下午，眼看天色已經快黑了，最後一台混泥土車，將大殿外廣場的水泥地鋪平了，周圍聚集著許多虔誠的信徒們，他們緊張地盯著剛完工的大殿，雙手合十，唸唸有詞地祝禱著。」

接著，在賢度法師指揮下，眾人協力合作，從貨櫃中取出三大尊巨大佛像——殊勝的華嚴三聖，現場興起一片振奮。待安置好佛像，架上大鐘鼓，擺好拜墊，機場接應的人員來電：「成一老和尚帶領一大群觀禮信徒，剛下飛機，準備過來了。」

「我們以最快的速度收尾，換好衣服，鐘鼓齊鳴聲中，為老和尚接駕。老和尚很開心地跟大家問好，四處欣賞剛落成的大殿，露出很滿意的笑容。他老人家完全不知道我們這一個月是怎麼過的。」賢度法師再一次向大家證明人定勝天的事蹟。

繼續遠行

從一九九八年九月展開籌備，千呼萬喚之下，歷時七年的美國蓮社大雄寶殿——最吉祥殿終於落成了。二〇〇五年九月十七日落成典禮，當日賓客雲集，成一老和尚率團赴美，親自主持盛典。整個大殿寬敞莊嚴，很難想像一個月前還是進度落後的工地模樣。艾和諧市長、中華民國駐舊金山經濟文化辦事處處長廖偉平、洛杉磯法印寺住持印海長老及興建工程委員會主委張志禹工程師，以及工程承包商理查・佛瑞斯特等人，皆蒞臨剪綵，並一一致詞祝賀。

與賢度法師並肩作戰一個月的理查，回顧工程時期的艱辛，以及蓮社的每一分善待，在致詞時，他激動得流下了眼淚：「很榮幸能承包蓮社大殿的工程，蓮社的每一位都非常友善與仁慈，希望下次再有機會為蓮社服務。經過一個月來的並肩努力，看見法師帶動蓮社全體上下齊心協力，完成了這項不可能的任務，這份可貴的經驗與革命情感，令人終生難忘。」

最後，賢度法師代表蓮社致謝，向每一位為大殿努力的人表達衷心的感謝與感恩，並說明興建大殿後的美國蓮社未來的遠景與展望。細數賢度法師自二〇〇三年接任第四任住持以來，於任內完成新建最吉祥殿、華嚴圖書館、教學課堂等建築工程，為僧信大眾的弘法共修、教育發展、自修精進，提供完善的硬體空間。此外，她著手建立美國蓮社尼眾僧團的相關制度，同時，也帶動專研、專修、專弘華嚴專宗的講學模式，展開各項「華嚴佛教經論講座」學術研究等，並與地方高等教育學校連結、推動與發展。

二〇〇七年四月十五日，賢度法師任期屆滿退位，由天因法師陞座為第五任住持，天融法師為監院。但她持續不懈地每年定期飛往美國，主持系列華嚴專題演講及講座，邀請各方知名學者專家進行交流，將美國蓮社打造為世界華嚴的中心。

二〇一五年一月三十一日至二月一日，賢度董事長率領多位台灣教授前來美國華嚴蓮社，舉辦為期兩天的「華嚴佛教經論講座」學術論壇活動；同時，宣布成立「美國國際華嚴研究中心」（International Center for Avatamsaka Studies，簡稱ICAS），聘任陳潤吾教授為研究中心的主任、天承法師為副主任。

美國國際華嚴研究中心自二〇一五年十月開始，陸續開辦華嚴研修課程。自二〇一六年起，每年寒暑假期間，特別邀請台北華嚴專宗研究所資深教師慈融法師、會極法師等師資，來美進行密集式佛教經論專題、佛教思想專題等講座課程。二〇一七至二〇一九年，更舉辦中英雙語華嚴經論講座，推廣全球多元現代化華嚴教學。二〇一五年九月二十日，天承法師接任住持，陞座典禮上，賢度董事長為其送位，除了嘉勉過去執事人員的辛勞，更期許新生代的執事團隊們能在地深耕發展，認真學習，盡己所能關懷、服務大眾，善弘華嚴。

「美國華嚴蓮社之創立，源於成一老和尚佛法無國界之理想，使得美國僑胞有機會接觸華嚴佛法。自二〇一五年天承法師接任住持、天般法師任當家以來，在賢度董事長的帶領之下，更為眾多二代乃至三代的移民介紹佛教文化，於現代變遷快速的社會中，以通達的智慧面對人生的挑戰，建構起華嚴學與當代社會對話的多元模式，逐步將華嚴佛法拓展至世界各地，廣利有緣眾生。

「除了常年推動弘法、教育、文化、慈善四大志業，更有國際華嚴研究中心的教研、翻譯等常態發展事務，以及華嚴教育研修的推廣；逐步培養大眾閱讀華嚴經論典籍的能力，帶動僧信二眾於生活中的日課修持，導入華嚴經教和觀行法門的修學與實踐；同時，加強校際間的合作交流，養成華嚴佛教人才，接引有緣人共修福慧資糧，在地發揚華嚴法化中圓融和諧、智行合一的精神。」（以上摘自ABLS網站）

一手推動美國蓮社願景與發展的賢度董事長，在二〇一七年五月七日，於美國華嚴蓮社最吉祥殿，舉行華嚴佛教經論講座第二天下午議程中，主講〈華嚴宇宙觀專題〉，不少聽眾慕名而來，場內高朋滿座。

「宇宙到底是什麼樣子？世界是如何形成的？如何改善我們的人生及世界？」

賢度法師認為：「今日世界的亂象與日俱增，除了用科學的角度了解環境的改變，做好因應的準備，更要發願做人間的菩薩，有捨我其誰的精神。在生命實踐的過程中，從悲智雙運，實踐十波羅蜜，發四無量心，方便善巧融合世間五明，以四攝引導人們解決宇宙人生的問題，並且落實在弘法、教育、文化、慈善的工作中，佛教才能為普羅大眾所接受，進而利益眾生，改變世界。」

遠方有多遠呢？幾千年算不算遠？不管多遠，對賢度法師來說，都是可以到達的。是的，她還有這一世的任務要去完成：「特別現在的E世代，人心非常不安，希望從混亂的時空重新找到定位，我以華嚴宗女性傳承者為榮耀，期待整合教法融入日常中，以跨入新世代，不僅將華嚴思想發揚光大，更將華嚴具體生活化。」

那就繼續遠行吧！

注釋

1 文昌帝君〈陰騭文〉：
帝君曰：吾一十七世為士大夫身，未嘗虐民酷吏。救人之難，濟人之急。憫人之孤，容人之過。廣行陰騭，上格蒼穹。人能如我存心，天必賜汝以福。於是訓於人曰：昔于公治獄，大興駟馬之門。竇氏濟人，高折五枝之桂。救蟻中狀元之選，埋蛇享宰相之榮。欲廣福田，須憑心地。行時時之方便，作種種之陰功。利物利人，修善修福。正直代天行化，慈祥為國救民。存平等心，擴寬大量。忠主孝親，敬兄信友。和睦夫婦，教訓子孫。毋慢師長，毋侮聖賢。或奉真朝斗，或拜佛念經。報答四恩，廣行三教。談道義而化奸頑，講經史而曉愚昧。濟急如濟涸轍之魚，救危如救密羅之雀。矜孤恤寡，敬老憐貧。舉善薦賢，饒人責己。措衣食周道路之饑寒，施棺槨免屍骸之暴露。造漏澤之仁園，興啟蒙之義塾。家富提攜親戚，歲饑賑濟鄰朋。斗秤須要公平，不可輕出重入。奴僕待之寬恕，豈宜備責苛求。印造經文，創修寺院。捨藥材以拯疾苦，施茶水以解渴煩。點夜燈以照人行，造河船以濟人渡。或買物而放生，或持齋而戒殺，舉步常看蟲蟻，禁火莫燒山林。勿登山而網禽鳥，勿臨水而毒魚蝦。勿宰耕牛，勿棄字紙。勿謀人之財產，勿妒人之技能。勿淫人之妻女，勿唆人之爭訟。勿壞人之名節，勿破人之婚姻。勿因私讎，使人兄弟不和；勿因小利，使人父子不睦。勿倚權勢而辱善良，勿恃富豪而欺窮困。依本分而致謙恭，守規矩而遵法度。和諧宗族，解釋冤怨。善人則親近之，助德行於身心。惡人則遠避之，杜災殃於眉捷。常須隱惡揚善，不可口是心非。恒記有益之語，罔談非禮之言。翦礙道之荊榛，除當途之瓦石。修數百年崎嶇之路，造千萬人來往之橋。垂訓以格人非，捐貲以成人美。作事須循天理，出言要順人心。見先哲於羹牆，慎獨知於衿影。諸惡莫作，眾善奉行。永無惡曜加臨，常有吉神擁護。近報則在自己，遠報則在兒孫。百福駢臻，千祥雲集。豈不從陰騭中得來者哉！

第八章

不動　祖庭的召喚

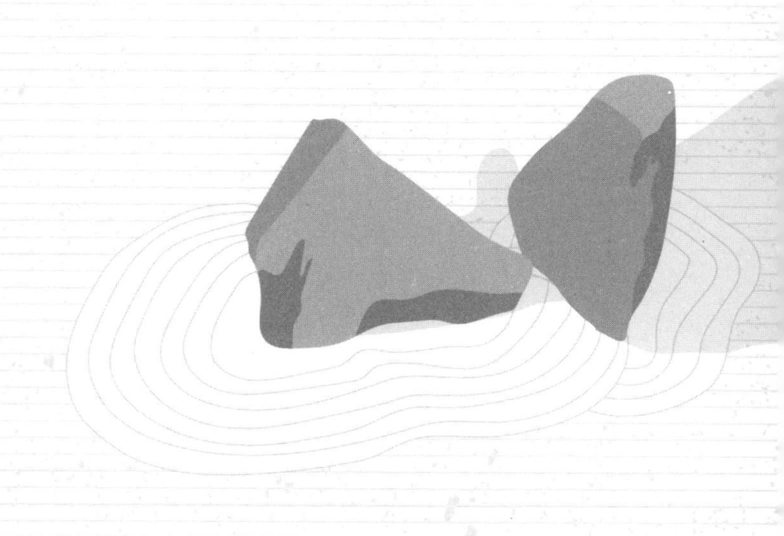

傳承三大法脈

在所有礦物中，鑽石是最堅硬，也是最具有價值的礦石之一。一個鑽石礦脈從數十億年的生成過程中，隨著時間的旅行，有的被沖刷至大海，只有最精純的鑽石才能被留存下來。

時間塑造了鑽石恆久遠的不朽意義。

《金剛經》，其實就是鑽石經，金剛的無堅不摧、尊貴能斷，形容的也是璀燦透明的鑽石質地。鑽石堅硬到必須要用鑽石去切割、琢磨，而萬物的潛質也似金剛——最純淨的鑽石。

當一位上師遇見上了弟子，他去教化、雕琢對方時，正是鑽石琢磨鑽石的過程。而一個法脈的傳承，能夠歷經千年而生生不息，甚至枝葉繁茂，那麼這也是鑽石級的礦脈了。

西元六三一年，唐太宗貞觀五年，三十二歲的玄奘，歷經了三年長途跋涉，千辛萬苦地穿越湍流、沙漠、荒地，經過西域諸國，冒著被搶劫和各種險難，終於抵達了他西行求法留學的目的地——位於摩揭陀國，當時印度的最高學府那爛陀寺。當他遇上他的老師——那爛陀寺主戒賢法師時，恭敬地跪地說：「我走了三年，就是專程來向您學習《瑜伽師地論》的。」這位高齡一百多歲的高僧一聽也哭了。

原來他也等了玄奘三年。三年前一場怪病加劇，他以為自己就要入滅了，忽然文殊、觀音和彌勒菩薩來夢中加持，文殊菩薩對他說：「你要真心懺悔，前世你是國王，卻不愛護眾生，現在你得忍受這個痛苦，好好宣講佛經，中土有位僧人將來跟你學習佛法，你要等他來，好好教導他。」

玄奘從長安出發的那天，戒賢的病就開始發作，如此三年終於相見，這份甚深因緣就像量子糾纏一樣，所有的巧合都是必然的發生。就像成一老和尚最常對大陸信徒說的兩句話：「因果定法則，因緣成萬事。」這兩句話使得大陸佛寺講經的大門為他打開了。

千年的遠行者——賢度法師，長途跋涉於宇宙時空之中，終於在一九八五年十二月底，走到了台北市濟南路二段四十四號的華嚴蓮社，她打開了華嚴大門，遇見她的恩師，接受他的琢磨，讓自己鑽石的潛質綻放出來，同時也繼承三大重要的漢傳佛教法脈——臨濟禪宗、南山律宗及華嚴宗。

賢度法師說：「我踏進蓮社，一路跟著師父，跟著道場，就沒離開過了。師父交付的一傳三脈，我認真梳理，每一脈都是漢傳佛教珍貴的寶礦。」

賢度法師進一步敘述華嚴蓮社的法脈傳承：「一脈是江蘇海安觀音禪寺，傳臨濟宗，成一老和尚在觀音禪寺出家，師承善遠，善遠師承南亭，南亭師承智光；另一脈是江蘇泰州光孝律寺，承南山律宗，南亭老和尚曾在光孝律寺擔任住持，為常惺大師器重，傳法授記，所以這兩脈本來就是智光老和尚、南亭老和尚，到我師父一路延續的祖庭脈絡；至於華嚴法脈部分，智光老和尚曾在上海哈同花園跟隨月霞法師就讀民初第一屆華嚴大學，又輾轉移至常熟興福寺辦學。雲棲蓮池大師是華嚴宗第二十六傳，月霞法師為華嚴宗雲棲法系第三十二傳，首屆門生智光、常惺等屬三十三傳。」

中國禪宗著重直指人心，見性成佛；律宗則以戒為師，心樂善清淨；華嚴法界展現世界和平的美麗善境，以及菩薩道悲智雙運的慈悲與智慧，這一傳三脈將漢傳大乘佛教精華盡收其中。

成一老和尚曾提及中國華嚴宗起源及如何流轉來台：「華嚴宗為我國佛教八大宗派之一，以《大方廣佛華嚴經》為根本經典，故名華嚴宗。全經以彰顯一真法界為主，也名法界宗。釋迦牟尼佛滅度後，《華嚴經》隱而不傳六百多年，直到龍樹菩薩自龍宮取出，馬鳴菩薩應和，方始大盛，成為諸大乘經之首。傳至中國，創立宗派，初祖為唐初杜順和尚，依華嚴做法界三觀；二祖雲華智儼，根據《六十華嚴》做《搜玄記》；三祖賢首法藏，為本宗集大成者，做《探玄記》，亦為武則天國師；四祖清涼澄觀，做《華嚴疏鈔》，人稱華嚴菩薩；五祖圭峰宗密，倡禪教並重，著有《新華嚴經合論》，時華嚴宗盛極一時。至唐武宗會昌法難使佛教趨於衰微，本宗亦然，幸而宋、元、明、清均有法師復興。

「民國創立，又有月霞大師於上海創華嚴大學，智光、常惺與持松法師就讀其間，應慈法師也於上海創華嚴學會，南亭、隆泉、靈源等法師前往追隨。大陸易幟後，智光、南亭、隆泉、靈源等法師，先後來台。智光、南亭師徒創華嚴蓮社，繼志續業。隆泉法師創華嚴寺於士林，未幾人滅寺毀，十分可惜。靈源法師創十方大覺寺於基隆，致力弘揚華嚴宗旨。」

華嚴宗來台的脈絡大概如此。華嚴蓮社因緣際會，從一九五二年創立至今，七十年來融合了這一傳三脈，又經成一老和尚、賢度法師致力推動，更以華嚴專宗獨具特色，成為當代華嚴信眾、華嚴教育、華嚴僧才，乃至華嚴學術獨一無二的孕育搖籃。而且將這把華嚴薪火，從台灣點燃，照回大陸，再延續至東南亞、歐美國家。

祖庭的恢復

當一傳三脈漸漸在台灣、美國生根發芽時，卻在大陸祖庭失去了根。文化大革命的無情破壞，無論海安觀音禪寺或是泰州光孝律寺，都被摧毀無遺。寺毀人走，祖庭的恢復與復興，成為成一老和尚這一代當初避難來台的僧侶們，另一個時代的責任了。

一九六四年，大陸這邊傳來壞消息，泰州光孝律寺毀於文革祝融，南亭老和尚聽後整整三日三夜，不語不食，原本還寄望遲早返回這座他住持的寺院，如今整個希望破滅而悲痛不已。他思前想後，決定傳授光孝律寺的法給成一和尚承接，以便將來有朝一日，他能於劫後恢復祖庭，復興光孝律寺榮景。

未及一九八七年兩岸開放，南亭老和尚已於一九八二年圓寂，成一老和尚在一九八八年秋天首次回到大陸，目睹光孝律寺頹圮模樣：「主要的殿堂都被破壞了，只剩下法堂、西板堂兩棟丈室小樓房、廚房等，不過大殿雖被拆毀，成了工廠，山門雖殘破不堪，但還在，這是一個復興傳統的好機會。」尤其光孝律寺的千華戒台猶存，令他欣喜望外。

一九八六年，成一老和尚代表中國佛教會率團至尼泊爾參加世界佛教徒友誼會年會，與大陸佛教協會會長趙樸初居士見面，也特別請託他協助支持泰州光孝律寺的恢復工作，得到對方的應允。就在這個機緣下，加上整個大陸改革開放的氛圍，一九八九年成一老和尚再回泰州，成立重建委員會，經過一年多與地方政府的斡旋努力，重修光孝寺工程自一九九〇年開始動工。

賢度法師說：「一九九〇年九月十三日，成一老和尚推動並主持泰州光孝寺修復重建工作。為完成先師祖南公遺志，結合台北蓮社、桃園僑愛講堂、美國蓮社所有力量，自一九九〇年至一九九六年十一月二日間，將祖庭泰州光孝律寺修復完工。」後二〇〇二年十月因原藏經樓規模已不敷使用，準備擴建新藏經樓，二〇〇三年十二月開工，二〇〇五年五月五日落成。

不僅如此，成一老和尚又將光孝律寺法脈傳給代理方丈肇源老和尚，及松林、禪耕老法師，以續法統。二〇〇三年十二月十四日傳法給弘法法師，並為光孝律寺住持。二〇〇九年傳法給煙台明哲老法師及二〇一〇年新任住持法空和尚，圓滿其師公南亭老和尚的遺願。

而海安觀音禪寺的恢復則在一九九三年提出，一九九五年獲准動土奠基，因原址已成荒原，故於營溪鄉一帶徵得田地十五畝，依照原有格局整體重建，一九九七年十月復建完成，成為信徒念佛共修之處，所有建設經費也多是成一老和尚募集而來。

賢度法師又言：「老和尚於一九八八年初次返鄉，即投資船舶、機場的興建，又捐建正興幼稚園，才取得當地政府同意恢復觀音禪寺。他集合了海內外資源及海安營溪當地鄉親的力量，將營溪觀音禪寺整個重建起來，在一九九五年十月十日動土，歷經大殿上梁、佛像開光，兩年完成。二〇〇二年開設佛教培訓班，同年十月玉成藏經樓奠基，兩年後美輪美奐的新建築落成，老和尚曾多次回觀音禪寺領眾禮拜《梁皇寶懺》。」

祖庭的硬體結構及法脈傳承既已恢復，講經說法的部分亦不可闕失，特別是華嚴經典部分。成一老和尚除了每次率團返鄉禮祖，親自應信眾之邀宣講佛法外，賢度法師亦深受當地信眾熱烈歡迎。

二〇〇一年起，賢度法師亦屢至觀音禪寺主持「華嚴法會」，領眾諷誦《華嚴經》，並引進多媒體教材，教唱佛教歌曲，欣賞佛教電影，讓當地百姓從不認識釋迦牟尼佛的情況下，開始了解《華嚴經》的要義及七處九會說法的意義。「每次皈依、求戒的弟子皆數以百計，感動許多在門外看熱鬧的鄉親進入佛門，甚至維持秩序的公安也成了義工。」賢度法師說。

樸實的鄉親對觀音禪寺的重建非常感激，「每次回到觀音禪寺，不少老信徒見到我，都會熱情地拉著我的手，問道：『師父您還記得我嗎？』也有許多老菩薩，見到台北蓮社過去弘法的法師們，第一句話就問：『賢度師父有來嗎？』」這些長者們總念念不忘成一老和尚、賢度法師的教化之恩，因祖庭恢復不易，佛法聽聞更難。

就像當年佛陀證悟的菩提迦耶菩提樹枯死後，原本分枝在斯里蘭卡卻繁茂壯大，便從斯里蘭卡原始菩提樹再移分枝回到印度，成為今日菩提迦耶的菩提樹。為使華嚴法統回歸大陸，賢度法師跟隨師父的腳步，奔走於大陸祖庭及各大寺院、佛學院講經說法。

二〇〇二年四月二十七日至五月六日，應大陸江蘇省揚州法海寺、泰州光孝寺、蘇州西園戒幢律寺、上海玉佛寺等邀請，主持法會並宣講《大方廣佛華嚴經》及八相成道等佛教義理，利益當地眾生。二〇〇四年三月二十八日至四月六日，賢度法師前往大陸江浙各佛學院：杭州佛學院、泰州光孝寺、營溪觀音禪寺、華藏寺等，舉辦華嚴經專題講座。

二〇〇五年五月五日，為泰州光孝律寺藏經樓落成大典，成一老和尚及賢度法師率團回寺參與盛況，又為光孝律寺祖師塔林奠基，來自海內外眾多佛教界人士、諸山長老及上千名信徒們，一起見證光孝律寺重新輝煌的一刻。

當日下午三點，諸山長老和佛教學者齊聚剛落成的光孝律寺藏經樓中，舉行首場「紀念常惺法師學術座談會」。成一老和尚特別發表感言，介紹常惺法師與南亭和尚的師徒關係。會中，賢度法師也針對常惺法師對今日人心之需求做一番精闢入裡的剖析。最後，由賢度法師帶領華嚴專宗佛學研究所全體同學，合唱華嚴字母，表達對常惺法師的讚頌。往事歷歷，今日常惺法師[注1]若能目睹光孝律寺的恢復，必然感到無限欣慰，這也是成一老和尚不負師命的歷史成就。

二〇〇五年五月七日，海安觀音禪寺舉行恢復十週年暨常靜大和尚傳法陞座慶典，成公導師回寺為其做證明師，副董事長賢度法師亦率華嚴專宗學院研究所全體學生一同祝賀。

六日晚上，賢度法師先為信眾講解《梁皇寶懺》的意義，結合圖文並茂的多媒體，深入淺出將整部懺文分十卷，一一說明意涵與修行方法，引導信眾了解參與法會所得到的懺罪修福、消災免難功德，以生起虔誠之心。七日上午，常靜法師傳法及陞座儀式結束後，下午，賢度法師於講堂領眾禮拜梁皇寶懺，參與的信眾無不虔敬恭誦經文，至心禮懺，圓滿此次殊勝的梁皇法會。

良師益友，促成了不可思議的兩大祖庭恢復工程，亦如成一老和尚一再所說：「因果定法則，因緣成萬事。」

因緣在一隻巧手中註寫了南亭與成一的師徒之情，也註寫了成一與賢度的師徒之恩。據說南亭長老捨報後往生彌勒淨土，而成一老和尚在朝禮五大名山後，一次來到浙江奉化彌勒院拜彌勒佛，臨走時在門口停駐下來，對賢度法師說：「我決定了，我要去兜率天，太虛大師他們都在。」從此，他老人家開始每日無間斷地誦念彌勒佛號，並潛心修持彌勒法門。

二〇一一年四月二十七日，九十八歲的老人在泰州光孝律寺示寂，往他的希願處而去，其一生風光明耀，成就鑽石般的佛教功業。

滄海月明珠有淚

當一位登山者千辛萬苦攀越高峰，來到七、八千公尺的山頂時，放眼而去，腳底是綿延雪峰，四周沉入無比的寂靜，安靜到只聽見一種聲音——山的聲音。不動的山，說了些什麼呢？只有爬到那裡的登山者才知道。

八地菩薩以他的願行，爬到了不動的第八地山峰——無分別智任運相續，不為一切有相、一切功用，一切煩惱所鼓動，得無生法忍，入不動地，名為深行菩薩。

成一老和尚恢復祖庭的願行，示範了一代宗師不動無畏的初心，如他所說：「說來神奇，我平常沒錢，也不會化緣。到了要修祖庭，也料不到會花這麼多錢，只是在做法會時跟信徒宣布一下，請大家隨喜做功德，結果得到台北、美國信徒全力支持。為佛教做事情，只要發了心，龍天就會護持，擁護佛法，有願必成。」

二〇一〇年五月四日，光孝律寺祖師塔林已落成，成一老和尚、賢度法師帶領徒眾，迎奉智光、南亭二位尊宿的骨灰舍利從台北回歸祖庭光孝寺。這一次也是成一老和尚和台北蓮社的告別，因為五月十一日二老舍利塔安奉後，成一老和尚決定留在光孝律寺退居寮頤養天年，以示宗門祖德法脈的重要性。做為光孝寺祖庭一代祖師，如賢度法師所說：「他不再是流亡海外失根的蘭花了。」

這年十一月二日，賢度董事長和天演住持特地率佛研所院友、學生來探望老和尚，並舉行華嚴專宗學院三十五週年院慶。在陽光照耀、花木扶疏的中庭，一一向成一導師行禮，老和尚很高興，一慰他想念台北的心情。隔天，他親自帶領信徒參加光孝律寺舉辦的水陸法會。

二〇一一年四月一日，光孝律寺啟建法會慶祝成一老和尚九十八壽辰，在徒孫的攙扶下，他切著蛋糕，並在廊道中留下一抹可掬的笑容，成為永恆的留影。

四月二十六日，賢度法師在台北蓮社接到光孝律寺來電通知「老和尚病危」消息後，一行人急急忙忙搭機趕回祖庭。回顧這一幕，賢度法師猶難掩感傷說：「二〇一一年四月二十六日是一個難熬的日子，我們匆促地趕往祖庭泰州光孝寺，一路上心情特別沉重，更害怕手機響起，不知道會是報喜，還是報憂，心底五味雜陳，離別之情，誰能知曉。待風塵僕僕趕到光孝寺時已是入夜時分，藏經樓傳來陣陣的念佛聲，眾人快步奔向藏經樓探望老和尚。」

「師父我們來了！」賢度法師在成一老和尚的耳邊說著。

老和尚看著賢度，雖無法說話，但生命探測儀的所有指數皆已上揚。賢度法師強忍著悲傷，跟師父許下承諾，海內外的道場一定會永續經營，讓三大法脈傳承下去，並繼續發揚光大。她對老和尚說：「請師父不要再勉強支撐，看到彌勒佛來接引時，不要牽掛，就去兜率淨土。」老和尚聽後，閉上眼睛，生命探測儀緩緩地推向正常的指數。

賢度法師說：「第二天，二十七日晚上八時，慈悲的恩師成公上人安詳捨報，上生兜率。幾十年來的師徒之情，在亦師亦友中相互學習，點滴在心頭，往後只能成追憶。」

她還記得第一次見到老人的情景，老和尚為她唸讀著〈華嚴發願文〉，又或者亦步亦趨，默默跟在老和尚身後到處做活動紀錄，拍照寫新聞稿。一次，老和尚頭戴著的小帽在拜佛時不見了，她沿著蓮社每一層樓，依著老和尚的禮佛足跡，親自走一遍，模擬他每一個可能的動作，終於在佛案的大磬裡，被她發現老和尚順手一丟的小帽子。

賢度法師追憶說：「我在蓮社當家、住持做下來，師父看我挺住了，對我很放心，開始跟我談笑風生，兩人相差快五十歲，卻無代溝。他有糖尿病，眼睛不好、看不清楚字，我在選舉前，得為他做選前分析；他還要我教他電腦、手機，為他錄製彌勒佛號，提醒他做功課……。」師徒之情顯現於日常，小事見真情。

五月四日，先於光孝律寺舉行成一老和尚追思讚頌會，賢度法師堅持不以喪事籌備，當以國師之禮行之。所以，廳堂全以紫色帳幔莊嚴布置，當日泰州政府領導出席，來自海內外諸山長老、門人、法子及信眾紛紛趕到，每個人都別上紫色絲帶，場面隆重哀戚。

在不捨的啜泣聲中，由賢度董事長代表介紹成一老和尚生平事蹟及貢獻，隨後她感性地說道：「一九八七年兩岸恢復交流後，導師立即率領僧俗二眾，投注相當的財力與心力，使光孝寺恢復了大叢林的雄偉莊嚴。更重要的是，導師不僅恢復了硬體，還重建作育僧才的光孝寺佛學院，把培育學養俱佳的僧才之優良傳統延續下來。

「成公導師除了秉承其師祖遺命，又完成南亭長老生前的另一個遺願，就是當兩岸能自由交流時，希望舍利能落葉歸根，回到光孝寺祖庭。為了回報法乳深恩，一盡弟子義務，他決定守在光孝律寺祖師塔林，就近指導當地的法子、法孫與法玄孫，因為在他心中，手心手背都是肉啊！

「因此，儘管台灣的弟子與信眾十分想念導師，卻也體念導師的心願，成公導師便安住在光孝寺退居寮，由光孝律寺的法子、法孫與法玄孫們輪流盡心照顧著，一盡他們的孝心與回饋心願。

「海峽兩岸六十年的阻隔，因著成公導師的一線牽，不僅法脈相續、綿延不斷，華嚴蓮社與光孝律寺的弘法精神，以及作育僧才的優良傳統，也將持續在導師和其法子、法孫同心努力下發揚光大。」

當日中午，全體四眾扶靈，起靈時，司禮生卻遲遲無法將座龕抬起。光孝寺方丈知道老和尚捨不得大家，立刻搭衣持具，三拜懇求老和尚慈悲，讓典禮能如禮進行。才拜完，瞬間四位禮生扛起座龕，飛也似地上了禮車，再發車前往老和尚的出家祖庭——觀音禪寺舉行荼毘典禮。

點火儀式時，觀音禪寺簡直萬人空巷，四處都是維持秩序的公安，依然阻擋不了紛紛向壇場湧來的人潮。此刻的賢度法師已悲慟到無法走路，在徒弟們的攙扶下才勉強回到會客室，三十年的師徒情誼，不捨之情溢於言表。

賢度法師緬懷師恩說：「我初進華嚴專宗就讀佛學院，以『初生之犢不畏虎』的氣魄，一路戰戰兢兢地學習。畢業後，慈悲的師父打破蓮社傳統，委以重任，以女眾佛門新秀，先後接受當家、住持磨練，種種改革興建，都得到師父的支持。師父是最尊重佛教女性的長者，他樹立了男女平等道風，蓮社是唯一可見到二眾一起、三代同堂共同主持法會的道場。此突破傳統之舉，率領時代之先，獲得教界大老們一致肯定讚揚。」

早些年，為感念恩師的德行與栽培之恩，賢度法師在二〇〇九年接任董事長後，即將五樓圖書館題名為「成一圖書館」。讓學生們在「萬卷書香見古人」的情境下，能夠念茲在茲，體會祖師們的厚愛以及興辦教育的初衷。

二〇一〇年，華嚴蓮社一、二樓內部整修完成。二〇一一年，成一老和尚圓寂於泰州光孝寺後，賢度法師遂將蓮社三樓改建成「成一導師紀念堂」，展出導師舍利及生平文物，並出版紀念專刊，提供各界瞻仰緬懷成一導師一生慈愛、以身說法的德澤，以及他對法脈傳承的用心。

二〇一一年六月七日，賢度法師在台北蓮社為成一老和尚舉行追思讚頌研討會，由會極法師、自莊法師、闞正宗、陳一標等法師、學者們發表各篇論文，發揚成一老和尚的學思歷程及對佛教的貢獻，現場與會者無不盡情抒發對成公導師的無限感懷與思念。賢度法師以一首供讚，概括其師父的一生：「南山賢首。同脈相傳。一乘萬行十度修。布教興道場。四眾蒙恩。法雨滿娑婆。」

最後，賢度法師詠嘆祖師們的恩德：「所謂『創業維艱，守成不易』，感謝恩師您們祖孫三人，漂洋過海來到台灣開山創建華嚴蓮社，將正統的佛教叢林制度傳入台灣，讓我們晚輩在佛光的照耀下修學佛法，得以在您們的法席上聆聽法要，受您們的福蔭普照。『只為眾生得離苦，不為自己求安樂』是您們精神的寫照，於此記錄一筆，以留鴻爪。期許後生晚輩『不能忘本』，體會祖師們的苦心經營，以及為佛教奉獻的精神，將這歷史的傳承世世代代延續下去。您們留下的典範，將長留我們心中。」

老人雖逝，但精神不朽。

我們都是一家人

老人走後，祖庭法脈的連繫及交流繼續延伸著。

二〇一二年十月十六日至二十一日，光孝寺的戒台、百祥園奠基儀式，蓮社天蓮當家及全度法師，率蓮社信眾二十多人前往共襄盛舉。二〇一四年五月十六日賢度法師及法空和尚也在光孝寺祖師塔林，舉行妙然和尚安座暨祖師供儀式，又返觀音禪寺為僧信二眾開示「華嚴十波羅蜜與菩薩行」。二〇一四年十月七日戒台殿落成，蓮社天蓮住持率信眾來賀，十一月泰州光孝寺戒壇重光，傳授秋季護國千佛三壇大戒，賢度法師等受邀為尼部十師。

二〇一五年六月六日，海安觀音禪寺於大雄寶殿前舉辦「觀音禪寺恢復二十週年慶典暨回顧論壇」，現場嘉賓雲集，賢度董事長、天演法師亦分別率領監院天承法師、天起法師、國際華嚴研究中心執行長林益丞及台灣信眾，返回祖庭慶賀。其中天諦、天博法師更在五月中旬即提前入住觀音禪寺，勘查環境，布置會場，以迎接慶典及論壇的到來。

賢度董事長致詞時特別提到：「祖師留下祖庭，傳承法脈，我們就該盡力完成子孫的本分。觀音禪寺的階段性任務暫告一個段落，硬體設備也非常齊全，應該思考未來發展的方向，以及如何在此培養更多人才。成一老和尚把觀音禪寺當成他的家，這裡也是他的出生地，他是以報父母恩、師長恩的心情，全力恢復觀音禪寺。」最後，她說：「能在二十週年慶典再次見面，最想要告訴大家：希望大家常常回來，我們是一家人，只要大家把觀音禪寺當成家一樣在照顧，法身慧命一定能夠延續下去。」

賢度法師亦是懷著感念師恩的心情，延續老和尚的心意，而往返兩岸祖庭：「雖然不知道能做多少，做多久，但我相信三寶定會加被。」

最後賢度董事長發放成一獎學金，隨即移駕至承先樓進行落成啟用典禮，與諸山長老、當地官員共同剪綵揭匾。這棟承先樓是觀音禪寺為提供前來朝禮的各地信徒更好的住宿環境，於二〇一四年開始興建，可容納五十位信眾。另棟啟後樓尚在規劃中，兩棟建築皆由賢度法師命名，意在提醒：「觀音禪寺四眾弟子，莫忘祖師護教、育僧之恩，並堅持祖師遺願，繼續培育賢才，以告慰祖師於常寂光中。」

六月六日、七日，為期兩天的學術活動在成一樓舉行，亦為海安觀音禪寺開展新頁，這是觀音禪寺恢復以來首度舉辦的國際性論壇，宣揚觀音禪寺法脈所屬的「臨濟禪宗」特色及祖師們的貢獻。分別由日本駒澤大學佛教經研所研究員法音法師、浙江社科院陳永革教授、蘇州大學韓煥忠教授、佛光大學闞正宗教授、香港中文大學文化及宗研系博士候選人邵佳德、泰州歷史文研所研究員范觀瀾、江蘇省社科院泰州分院助理研究員張永龍等，發表珍貴的演說及論文。

「在論壇舉行的成一樓，二樓是水陸法會的內壇，四周早已布置莊嚴的水陸壇場畫像與上、下堂各席的牌位，所有與會學者無不感到新奇，直說在內壇發表文章，真是殊勝難得的經驗。」賢度法師說。

二〇一五年六月八日，賢度董事長又帶領論壇與會學者群，前往泰州光孝律寺參訪。由方丈法空和尚親自接待，一一巡禮最吉祥殿、藏經樓、《龍藏經》，參觀二〇一四年最新修復完成的戒台殿，並在戒台殿二樓優曇講堂觀賞光孝寺影片《古剎光孝》。午齋後，賢度董事長率天承法師、天起法師、天諦法師、天博法師、林益丞、林芸安等六位蓮社子弟，前往祖師塔林上香，向光孝堂上歷代諸祖稟告：「我們回來禮祖了！」並逐塔問訊、禮拜。一瞻一禮間，除了感懷祖師們當年篳路藍縷護教辦學的恩德，同時也是賢度法師為蓮社弟子們啟發的一種傳承教誨——別忘記了一傳三脈的根源，承先與啟後間，我們都是一家人。

百年華嚴法界學院復辦

兩大祖庭既已恢復，象徵著華嚴大學精神的法界學院，在成一老和尚辭世前，卻還在等待著枯木重新開花。

一九一三年，四處宣揚華嚴思想的月霞法師，應邀在上海哈同花園說經，隔年開辦華嚴大學，一時門人遍滿天下，有常惺、慈舟、持松、戒塵、靄亭、智光等卓越僧才輩出。在其辦學簡章中規定：「本校以提倡佛教，研究華嚴，兼學方等經論，自利利他為宗旨。」因著月霞法師的堅定願力及感召，弘揚華嚴的學者如雨後春筍，締造全國各地僧侶爭相辦學及華嚴學子遍地開花的盛況。華嚴大學後來輾轉移至常熟興福寺，易名為法界學院，月霞法師並任興福寺住持，從此興福寺便成為華嚴本山。戰火之故，興福寺雖為華嚴本山，但華嚴學卻也無奈凋零。

一九九五年十一月三日，成一老和尚巡禮祖師足跡，也來到了興福寺華嚴道場，受到該寺妙生方丈的熱烈歡迎。從一九一四年創辦至今的百年華嚴，如何在中國重新復興，法界學院的復辦應是華嚴祖師們的殷殷期盼。成一老和尚未完成的使命落在賢度法師身上。

二〇一四年五月二十日，賢度法師禮祖的腳步踏入了常熟興福寺，參與在法界學院舊址舉行的百年華嚴座談會，為僧信二眾講解「華嚴經七處九會品會大意」，與住持慧雲方丈於昔日法界學院的講堂前合影，兩人感慨萬千。此行，她也參與了興福寺舉辦的華嚴祖師供，又進入後山拾級而上，來到雲棲塔院禮拜月霞法師舍利塔。在一片鬱鬱蔥蘢的樹林間，月霞老人長眠於此，多年來的華嚴願行，似乎也一起入眠了。賢度法師一行人於此合影，心中百般感動，也暗自立願：「願為復興中國華嚴而盡一分心力。」

興福寺的慧雲方丈亦懷有如此使命感，他想：「種種歷史的原因，興福寺雖為華嚴本山，但一直沒有推動華嚴學，能與儼然有成的蓮社合作，是一個很好的開端。」在這次的座談會中，雙方對於未來合作推動華嚴的教學跟華嚴教育的推廣，達成初步的共識。

二〇一四年十月二十三日，歷史性的一刻來臨了，江蘇常熟市佛教協會會長暨興福寺方丈慧雲和尚等十二位法師居士，蒞臨台北蓮社參訪，並出席「兩岸攜手延續華嚴正統法脈，共創華嚴弘化願景」的合作座談會。賢度董事長以主人身分表達歡迎並致詞：「興福寺為南朝千年古剎，以『曲徑通幽處，禪房花木深』名揚於世，文化底蘊深厚，高僧名德輩出，亦為華嚴蓮社祖庭之一，特別近代月霞法師在此處續辦華嚴大學，並設立華嚴預備學校，後改名法界學院，講授華嚴經論。在華嚴法脈人才輩出的今日，興福寺繼承月霞法師善弘華嚴的精神，特前來華嚴蓮社參訪，並向華嚴專宗學院豐碩的教學成果請法取經，為恢復法界學院華嚴教學，讓華嚴思想再度於華嚴本山開花結果，綻放異彩。

「智光老和尚於華嚴大學畢業後，曾追隨月霞法師至各地弘法講經，在華嚴宗法脈的延續上，將華嚴大學自利利他的創辦宗旨，移植於華嚴蓮社。一九七五年，為紀念蓮社開山第一代住持智光老和尚，並提高僧伽教育水準，培養現代弘法人才，創辦華嚴專宗學院，至今已四十年。不論在弘法或華嚴教學方面，後代法子莫不希望將華嚴專宗學院的辦學成果，分享給廣大的有緣人。為此，華嚴蓮社積極參與大陸地區華嚴專門人才的培育養成工作，期盼兩岸共同攜手，延續華嚴正統法脈，共創華嚴弘化的願景。」

十月二十四日上午九點，雙方進一步在台北華嚴蓮社四樓講堂，簽署合作備忘錄。賢度法師表示：「今天這個備忘錄的簽署，雖不具法律效力，但具有雙方合作的默契與認可，對於華嚴宗未來的弘傳與華嚴教學的推動，具歷史性的意義。這次合作關係，也因慧雲大和尚對弘傳華嚴強烈的使命感，希望興福寺能像華嚴專宗學院一樣，從事華嚴教育推廣及教學，辦學是對培養僧才最直接而快速的方法。

此外，賢度董事長也分享多年辦學的心得：「不管是出家僧眾或在家居士，佛教事業是要教育世人，讓法門延續，應以開放心胸的態度去落實。」會中，賢度董事長也草擬一份課程規劃表，贈予慧雲方丈，希望可做為未來法界學院辦學的參考。賢度法師笑言：「這份課程表是半夜三點，我被華嚴祖師常惺法師叫起來寫的。常惺法師入夢，說要我幫法界學院排一個學年度的課表，並告訴大和尚這件事。這是祖師要你做的事，你就得做，沒得選擇，只能往前衝。」

慧雲方丈聽後表示：「身為華嚴本山方丈，對於未能推廣華嚴教義而深感慚愧。此次是為求法而來，比起玄奘、法顯等祖師，再大的困難都不是困難。現在正積極研讀華嚴相關文章，期待將來法界學院開課，自己也能親自授課，並期許正在華嚴專宗學院就學的兩位興福寺弟子——文滢及文濤，學有所成，三年後回去服務對華嚴有興趣的廣大信眾。」

提起常惺法師，賢度法師補充說：「常惺法師是法界學院教務，華嚴大學遷至興福寺後，月霞長老圓寂，應慈法師接講席，持松法師任方丈，法界學院所有教學工作都由常惺法師一手負責。其實最早期大陸許多學院都是常惺法師辦起來的，只是壯志未酬，英年早逝，肺癆吐血而亡，所以記得他的人不多。但興福寺慧雲法師十分了解他的功勞，因常惺法師是光孝寺傳南山律的祖師，所以法界學院雖無法盛大追思，仍為他編寫年譜，表達他對法界學院的貢獻。我也費了一番工夫，排除萬難，將其迎靈返回光孝律寺祖堂。」

就在與會者的見證下，賢度董事長與慧雲方丈法師慎重地於合作備忘錄上署名，雙方正式啟動兩岸華嚴教育學術合作，繼而協助復辦常熟興福寺法界學院。賢度法師積極開辦各項華嚴專題論壇，開啟國內外華嚴學術研究之風潮，如今這股風潮也要吹回華嚴本山了。首先，二〇一五年法界學院華嚴研究所成功復辦開學，接著二〇一五至二〇一九年，指導與法界學院合辦的「百年華嚴・百城烟水」國際研討會，共有一百九十六位學者參與，發表一九〇篇論文，此可謂空前創舉，為培育中國年輕一代的華嚴師資善盡心力。

這兩大佛教消息，皆有大幅特別報導：「二〇一五年九月二日法界學院復辦是一個里程碑，開學的教旗再度迎空飛揚，與台灣華嚴蓮社同於兩岸弘揚著華嚴宗、華嚴學，矢志華嚴教育事業，將在中國弘揚千餘年的華嚴圓教，再向世人演說。」

另有報導紀錄：「二〇一五年十一月二十一日，興福寺法界學院隆重舉辦首屆百年華嚴論壇，在各界積極支持下取得圓滿成功。論壇以『百年華嚴・百城烟水』為主題，意在彰顯興福寺近百年來力弘華嚴傳承，以及善財童子不忘初心方得始終的寶貴精神。以虞山興福寺為弘法本山，在法界學院授學課程，是以華嚴教義為主，華嚴一脈始得流傳不絕，讓興福寺可以名符其實地被尊為『華嚴本山』。」

種種華嚴願行，歷經考驗，賢度法師始終秉持不動的初衷一一實現，如她在二〇一六年第二屆「百年華嚴・百城烟水」華嚴論壇的開幕致詞：「一九一七年法界學院在此興辦，高僧月霞、應慈、持松和尚等，都在此為中國華嚴復興做出重要貢獻。為了感念祖師一生對弘法、教育、文化等工作的辛勞與具體貢獻，身為後世弟子的我們抱著感恩及崇敬的孝思，來緬懷慈悲與智慧兼具的長者，只有延續先賢祖師遺願，盡力推動華嚴教育工作。」

猶記得在成一老和尚臨終前，賢度法師對他師父許下的承諾：「海內外的道場一定會永續經營，讓三大法脈傳承下去，並繼續發揚光大。」三大法脈的恢復與復興，成一老和尚完成了其二，最後由賢度法師為他老人家劃下圓滿的句點，這場鑽石琢磨鑽石的師徒之情，如此閃耀動人。

注釋

1 常惺和尚（一八九六至一九三九），於近代中國佛教史上，是位聰穎過人且精通華嚴、天台、唯識教門，又受持禪、律、密乘的佛學大師。十八歲畢業於省立如皋高等師範學校，後往上海就讀華嚴大學，畢業即至寶華山研習律法三年，又赴常州天寧寺習禪，繼詣觀宗學社修學天台教觀，復跟隨持松法師於上海學習唐密。曾先後綜理常熟興福寺法界學院教務（一九一九）、出任安慶迎江寺安徽佛學院校長（一九二二）、創辦廈門南普陀寺閩南佛學院

（一九二五）、擔任北平柏林教理院院長（一九三〇）、創辦光孝佛學院（一九三三）、回任閩南佛學院院長並建立佛教青年僧養正院（一九三三）。此外，抗日戰爭開始後（一九三七），因任中國佛教會祕書長職務，從事佛教僧侶救護隊、僧侶掩埋隊的訓練工作，並辦理佛教醫院、收容所等，帶領佛教界襄輔抗戰時期之救護醫療工作。一生之中，為了振興僧伽教育，推行佛教文化、弘法及慈善志業，足跡遍及江蘇、上海、安徽、江西、福建、雲南、河北等地，堪稱中國佛教界一代領袖人物。（釋天承／文）

第九章

善慧　當東方遇見西方

此處最吉祥

無數朝聖者總在尋找一個心目中的聖地，他們在世界中不斷流浪尋覓，往喜馬拉雅山大成就者閉關的雪洞，或是西藏的聖山岡仁波齊、拉薩的布達拉宮，抑或印度的菩提迦耶。聖地使人著迷，彷彿一路千辛萬苦抵達了那裡，靈魂就能澈底淨化而得到救贖，生命從此煥然一新。

哪裡是最吉祥的聖殿呢？

帝釋天說：「須彌山頂的妙勝殿是最吉祥的。」

當佛陀在菩提樹下入定，以法身上升到須彌山頂，前來帝釋天居住的宮殿——妙勝殿說法時，帝釋天高興地用神力莊嚴宮殿，又重重嚴飾稀有珍寶的師子座。待佛陀入座後，他開始歡喜禮讚，並訴說起往昔的善根因緣，因為過去諸佛曾來此殿說法，加上佛陀現在也來了，是故「此處最吉祥」。

《華嚴經》〈升須彌山頂品第十三〉一開場就在說這段故事。妙勝殿之所以是最吉祥殿，是因為諸佛在此說法，而且說的是華嚴妙法。佛說法時，一切眾生不僅法喜充滿，且都感覺到：「佛是在我面前，對著我說的。」就像太陽或月亮的光，總是照著自己一樣。

此處最吉祥，當然不是只有妙勝殿而已，而是華嚴妙法宣說之處就是最吉祥的聖地；華嚴妙法說法者的諸大菩薩們，是佛陀在定中放光加被，讓他們代為宣說。所以，當我們有幸聽聞一位法師或菩薩為我們講一段華嚴經文也好，甚至一句偈語，那個時空的當下就是「此處最吉祥」，在平行時空菩提樹下入定的佛陀，都會來此加被，讓你感受沐浴佛光的那份殊勝聖境。而做為一個華嚴行者，其所到之處，說法之處，不管是在亞洲的某間寺院，或者歐洲的某個中心，乃至在飛機上，只要他張口說起了華嚴妙法，那裡就是最吉祥處。

「九地菩薩能普遍十方，以一音普遍善巧說法，令各得歡喜，以利有情，故名善慧地。如經所云：『菩薩住此善慧地，作大法師，具法師行，善能守護如來法藏，以無量善巧智，起四無礙辯，用菩薩言辭而演說法。此菩薩常隨四無礙智轉，無暫捨離。』」

（見賢度法師編著《轉法輪集一》）

九地菩薩成就微妙四無礙智——法無礙智、義無礙智、辭無礙智、樂說無礙智，得總持陀羅尼，他們身體力行，以無量善巧的勝妙智慧（善慧），去教化調伏各種眾生，使之得到解脫。善慧的九地菩薩以法師形象處處說法，不也呈現此處最吉祥的聖境？

對於講經說法，弘揚華嚴經義，賢度法師總懷著義不容辭的無私胸懷。她說：「佛法無人說，雖慧未能了。身為法師，除了自身的修學，最重要是，要能為眾生開演法義，傳授法門，不論何時何地，或是哪一個國度。」

於是，在二〇〇一至二〇二〇年，二十年間為了推廣華嚴教學，她前往世界各地進行華嚴專題講座多達七十八次。而每一次開演華嚴妙法，不管在哪裡，必然都是最吉祥處，相信佛陀也一定前來加被。

準備前往歐洲

開始學習英文，並在印度生活，是賢度法師人生的第一場異國突破；但開始用英文對外國人講《華嚴經》，則是更高難度的挑戰。首先經文的善巧翻譯，就是一個很大的問題，更別提西方人偏重理性思維，且有疑必問的主動特質，和東方人緘默含蓄是截然不同的。如何在一問一答間，盡釋華嚴涵義，在在考驗法師的功力。而且他們以Master來尊稱法師，更重視Master所傳授的智慧，勝於偶像崇拜。

二〇〇六年八月底，賢度法師首度應邀至歐洲奧地利、匈牙利佛學中心宣講華嚴要義，前後為期八天，而且對象全是西方人，這是她將華嚴的國度擴展到歐洲的開始。這個因緣是這樣的，賢度法師說：「二〇〇六年六月十八日，一名奧地利男子名叫維拿・柯諦德（Werner Kodytek）遠從歐洲前來台北蓮社。因為他對佛法非常嚮往，一九七三年他到斯里蘭卡喜拉達寺學習內觀禪，一九七九至八〇年間又到日本修禪，之後再赴泰國參學。但與南傳佛教無緣，於是一九九〇至九一年，再赴日本學習佛教音樂。在他學佛的歷程中，偶然機會得到《四十華嚴》經本，讀誦〈普賢行願品〉後，深感與大乘佛教華嚴經教十分契合，從此深究其中，並於一九九二年開始分別在維也納、匈牙利創辦華嚴學院，教授佛教音樂和基礎大乘佛學。」

後來，柯諦德得知台灣蓮社一直在傳授華嚴大法，便來此請教法益，並求剃度出家。成一老和尚感念他遠道求法的大悲心，故在六月十九日為他舉行圓頂儀式，取法名為續演，成為老和尚的西方弟子。續演比丘深感大乘佛教在歐洲大陸急需推廣，便請賢度法師八月底前往維也納及匈牙利佛學中心主講華嚴。

這個機緣很巧妙，對於如何以英文呈現華嚴精髓，也一直是賢度法師在思維的事。二〇〇六年五月，賢度法師到美國華嚴蓮社辦了一場經論講座，影響很大。所以八月又帶學生去開論文發表會，又吸引一大批信徒前來聆聽，信徒們的提問、研討非常踴躍。

「很自然的，就覺得像這樣的講座具有知性的傳播，是現代人所需要的，不是只有誦經、拜懺那種感性共修而已。從他們臉上感覺到滿足，回饋問卷調查百分之九十九都是：excellent非常好，在意見欄上也認真地提出些建設性的期望。我最直接的感想就是，信徒們需要有華嚴的英文教育，尤其信徒本身是華僑或是越南籍，或從香港來的廣東籍，中文程度不好。雖然一般說中文他們聽得懂，可是PowerPoint的中文字卻看不懂，無法跟隨經義講解，所以這是我八月底去歐洲講經時要面對的一個最重要問題：努力去強化英文說經及翻譯。」賢度法師說。

「在維也納和匈牙利各有三天的講座，我準備三個主題，一個是佛教史，一個是華嚴發展史，最後一個是《華嚴經》精要——三十九品釋義。收到邀請後的七月開始，我就已經在做準備了，慢慢把PowerPoint檔案翻成英文，找不到適合的英文單字就用梵文，尤其一些佛教專有名詞，很難用英文表達。我也找了位英文老師，一週上課兩次，逐字將檔案上的中文用英文唸給他聽，再一起修正，每個檔案都是一百多頁。」

在八月二十七日出發前往歐洲前，她先去美國蓮社主持盂蘭盆法會，「這次在美國蓮社諷誦《華嚴經》時，整個大殿擠滿了人，十天法會期間，我一邊辦法會，一邊開示，一邊帶活動，又一邊做翻譯，從八月十日到二十日就是這種情形。直到二十七日準備飛往維也納前，所有檔案才完全定稿，然後我揹著投影機就去維也納了。」

心想事成的際遇

「八月二十日，我從美國回台灣，除了想辦法完成三個主題的翻譯，也想要一個練習的機會，如果可以在去維也納之前，先說給一個西方人聽，看看對方能否理解接受，不管從佛學或是世間的角度，都是一個很好的借鏡。」

於是，在法會的最後一天，賢度法師對佛菩薩許了個願，說："I need somebody to listen."（我需要某個人來聽我說法。）

「當天晚上是半夜一點半的飛機從舊金山飛回台灣，平常去劃位check in升等成商務艙時，服務人員看是女性出家眾，座位都會安排在女士旁邊，比較尊重也不會被打擾。結果那天上飛機時，一看旁邊居然是位男性外國人，既魁梧又高大，整個位置被他占得滿滿的，我只好說："Excuse me!"他站起來回答：『沒關係，阿彌陀佛。』我心底想："Oh, it's working!"一切開始運作了，菩薩聽到我的請求了，幫我找了個西方人來試試。」

兩人坐下來後，十幾小時漫長的航程已開始，對方很感興趣問了些問題：「你知道慈濟嗎？你知道法鼓山、佛光山……」

賢度法師回問："Are you a Buddhist?"（你是佛教徒嗎？）

對方回答："No, no, not yet."（還不是。）

但他覺得就目前而言，他自己在宗教認同方面，覺得佛教是一個比較沒有攻擊性，且沒有暴力問題的宗教，他的感受是這樣。

賢度法師回說："Ya, so far."（確實，目前是這樣。）

「後來，他居然拿出他的筆記型電腦，給我看一個檔案《大悲出像圖》，裡面有八十四尊佛像，但他不知道那是什麼，只覺得非常美麗，畫得很精緻，所以一張張掃描下來，存放在電腦檔案裡。對此他很得意，我也覺得這個人很有意思，一個外國人怎麼會去做這種事情。」賢度法師事後想起，仍覺這次機緣頗有禪機。

對方又問："Can you tell me what is this?"

賢度法師便跟他解譯：「你掃描的全都是觀世音菩薩！」又一一為他解說《大悲出像圖》的八十四像和八十四個佛號，對方高興地說："So interesting!"（很有意思。）

接著，又問了些宗教感性（sensibility）與理性（reason）方面的問題。他曾經接觸過藏傳佛教，當喇嘛伸手為他摸頭時，他說：「我覺得就像在摸小狗一樣。」他請教賢度法師如何看待這件事。

賢度法師說：「那是藏傳佛教的傳統，上師給予信徒的加持。當然智慧的傳達，更需要內省，從經典、教義方面去領受，而不是一直依靠上師的加持力。」

他說：「對，應該是這樣的。」接著他又感嘆：「為什麼每個人走進宗教，不管是教堂或者是寺廟，都是他們生活中遇上什麼問題才來求助？而不是賺了很多錢，很快樂時來感恩回報。」這個問題一直存在他的心裡。

賢度法師回答：「這是人性啊，當一個人不相信宗教時，是因為他自信很高，他相信自己，而且他沒遇上挫折，不需要幫助時，他幹麼需要宗教呢？可是當他遇到困難時，第一個想到的就是佛菩薩和上帝，東方人去拜佛菩薩，西方人就去求上帝。」

他聽了後說：「如果今天我要成為一個宗教徒，我要很理性，絕對不要像其他人一樣，碰到問題才進寺廟當一個佛教徒，或者去接觸西方宗教。我不喜歡迷信色彩。」這也是西方人和東方人在信仰上的差異，西方的理性主義講求實際而直接，而非怪力亂神。

「我一點半上飛機時已經很累了，因為辦了一整天的法會，又聊了這麼久的天，也真是累了。我說：『我要睡了！』忽然他說：『請等一下！我有一個願望，我希望求快樂，其他我不求，不求賺錢……，等你去寺廟時，請你幫我向菩薩祈求。』」

「我說：“OK! OK! ”就閉上眼睛睡覺，睡了大概五、六個小時後，醒來一看，發現他人不在，原來跑去和空姐聊天。他見我醒了就趕緊回到座位說：『你知道我為什麼會坐在這個位子嗎？』」

賢度法師問：「為什麼？」

他說：「他們把我當成是壞人，所以我應該坐在你旁邊，被你教導。」

賢度法師問他：「誰跟你說的？航空公司的人嗎？」

他說：「不，不，是我自己想的。」

賢度法師忍不住笑著對他說：「你坐在這裡，是因為我在佛菩薩面前許下一個願望，我需要一位audience，來試試我的語言能力，因為我必須要練習，準備去歐洲說法。」

他驚訝地問：「真的是這樣嗎？」又說：「你不需要練習，你英文說得很好。」

聽他這麼講，賢度法師心想：「這次去歐洲，比較有信心了。」

臨下飛機前，對方不忘記提醒：「師父，請你不要忘記我跟你講的事，你回去要跟菩薩說，替我祈求快樂。」

賢度法師微笑回答：「不用等回去，剛剛五個鐘頭在睡覺時，我已經很忙碌地在幫你求菩薩了，你沒有感覺你現在比較快樂嗎？」

對方開心地說：「有！」又說：「每次從美國來台灣，每一趟飛行都是非常非常難熬的，需要十幾個小時，這一次是最愉快的一次，不但有人陪我開開玩笑，又教導我佛法，教我很多東西，真的太有意思了。」

關於這段公案，賢度法師後來在大殿法會時，向信徒們開示：「這麼多年一路走來，我覺得如果你真的用功的話，可以用四個字形容：『心想事成』。佛教徒的起心動念，就是一個因，當你起什麼念頭時，目標設定後，一切就會朝那裡前進，慢慢的，因緣就在凝聚，成就你去完成。這一路走來，真的讓我沒有空過，沒有哪一個願望是我想到而沒有做到的。講實在，佛菩薩真的還滿善待我的，當你願意去力行時，有願必成。」

而這位飛機上結交的法友，之後還帶了一籃水果來台北蓮社拜訪，老和尚很高興，拿了一尊觀世音菩薩送給他，令他很驚訝，說：「這是我最喜歡的，雖然很喜歡，可是我也不敢隨便接受。」

賢度法師對他說：「那你怎麼樣拒絕？老和尚都已經拿來了，你要趕快接受啊！」

他欣然接受，並請老和尚題字，上面寫著：「成一贈，送給愛德華先生。」

一點也不浪漫

如果你喜歡莫札特、貝多芬或是舒伯特，那麼你一定要來音樂之都維也納。你可以在這裡嗅聞到十八世紀古典音樂家的創作氣息。

如果你是咖啡熱愛者，那麼你更要來維也納。十七世紀鄂圖曼土耳其大軍第二次圍攻維也納時，把咖啡帶入了這座城市。從此，維也納咖啡館和巴黎左岸咖啡館，並列為歐陸兩大咖啡館文化，每一個轉角飄送著咖啡香，浪漫、古典、藝術充斥著這座世界最宜人居住的城市。二〇〇六年八月二十七日，賢度法師來到維也納，卻展開了她不浪漫的旅行，她不是來遊玩，而是來弘法。

「奧利地續演比丘的佛學中心有兩處，一處是奧地利維也納威辛格斯特的芬特利徹佛寺，一處位於匈牙利傑爾－莫雄－肖普朗州普斯陶喬拉德村。這兩個佛學中心完全沒有中國人，不是維也納當地人，就是德國人，還有一位奧地利人，但住在阿拉伯。奧地利是以德語為主要語言，英語也很普遍，但都帶著很濃厚的歐洲腔調。

「歐洲人的學佛方式是以QA問答為主，進入大殿不會拜佛，而是聽講。平常也不會去禮佛，只有講課才會過去，不然就是去打坐。我去講華嚴，是中國比丘尼的第一人，之前有韓國、日本和尚去教禪。我在維也納的講座是二十九、三十、三十一日，連續三個晚上，三場主題，講一個半小時後，再半小時提問。我到維也納時，將稿子重新演練得比較熟悉。」演說是可以準備的，但現場問答就要靠臨場反應，而這也是最精采之處。

在賢度法師未去時，續演比丘一直對這次講座感到惶恐不安，一方面不知道如何推薦賢度法師給他的朋友，又擔心演說中若觸及一些中國古老傳統部分，會不會過於嚴肅，以及其他種種忌諱等等。賢度法師來到維也納後，寬慰他說：「你絕對不要擔心，即使弘法不成，我也和他們做個朋友，所以你盡量放輕鬆就好了。」

賢度法師又對續演比丘說：「你只要開場介紹我進來，其他事情交給我就是了。」

維也納三場講座就在這樣的氛圍下開始，結果出乎預期地熱烈。賢度法師為此次講座特別製作的三個華嚴專題英文教材，圖文並茂，完全派上用場；她全程以英文講解，在每場講座後，信眾踴躍發問並熱烈討論，對此次講座深感受益良多，講座最後的第三天有四位居士求受五戒。

賢度法師回想說：「還好我製作了PowerPoint，其中有兩、三位看不懂英文，有一位做即時翻譯，把我在台上說的英文，小聲地一字一句譯成德文，給旁邊的人聽。現場來的人其實都有佛學基礎，他們也有做些事前功課。三場演說下來，我至少讓他們了解華嚴宗在中國佛教八大宗派的地位，並介紹整個台灣的佛教界，還有華嚴三十九品的要義。

「他們都會根據當天的內容提出問題，對比較哲學性的『四法界觀』、『五教判』等特別感興趣，也勇於發問。其他如：禪宗的meditation（冥想）和vipasana（內觀）有什麼不同，華嚴觀門和天台三觀的差異，華嚴祖師們的相關歷史，以及淨土和修行的關聯，其中有人大概了解西方極樂淨土阿彌陀佛法門，就對華嚴的淨土思想是什麼充滿好奇。像這些都要用英文去回答，對我來說是一個最好的考試。」

賢度法師從介紹華嚴，帶入中國傳統和中國佛教，以及台灣佛教，也引發他們的好奇——現在八大宗派在台灣實行的情況如何？賢度法師的寺院和其他寺院有什麼不同？如何傳承華嚴法脈？

西方人的理性率直與直言不諱，將現場的即席問答帶到最高潮，也讓賢度法師可以更直接與西方學佛者交流溝通，去理解文化差異所造成的學佛障礙，以及如何突破一些名相困擾，讓佛教修行更加無礙。比如有人會很直接地問說：「你說的菩薩、大菩薩這些境界，如果我們做不到，你會建議以哪一品做為我們日常練習的一個法門？」賢度法師就和他們講〈淨行品〉，還有學習行持十度波羅密，並將平時行為轉化為發願及回向，從一般凡夫提升為慈悲與智慧雙運。

有的還會問：「你平常怎麼修華嚴？」

「他們不是那種感性的宗教信仰，即使要修也是非常理性，並不會因一時情緒感染就隨便受戒。所以當時有準備英文版的皈依證和五戒證，也提出：『願意接受三皈依、受五戒的人，都可以來報名。』最後有四個人願意受戒，但之前有人就提出疑惑：『你認為我們生活在歐洲，在維也納這樣的環境，有可能行持五戒嗎？』像這樣的問題都是很實際的，如果你能給他滿意的答覆，他就來受，否則無法勉強。」其中有一位信徒曾經受過五戒，他就問：「我曾經受過五戒，請問你還有什麼可以讓我受的？」

賢度法師坦率回說：「當然沒有什麼其他，如果傳授你在家菩薩戒，那太困難了，目前也還沒有英文版的菩薩戒本。」接著，賢度法師反問對方：「那你覺得你的五戒持得如何？」

他馬上愣住了，賢度法師又說：「如果你覺得你持得很完整，就不需要再受戒了，如果你覺得做得不是很圓滿，有時可能會忘記，那不妨再來受一次。」結果，對方就乖乖地再來受一次戒。

對此，賢度法師談到：「這說明在信仰與修行方面，他們是可以接受的，只是大環境比較困難，而且吃全素對歐洲人來說，至今仍非常有限，連護生的觀念也很缺乏。他們多半以肉食為主，尤其到了冬天零下二十幾度，青菜、水果這些根本都很難生產，所以吃素對他們來說是相當困難的。但至少在佛學中心碰到的幾位法友dharma friend都能夠做到，也懂得和法師或佛教徒在一起時，會交代餐廳準備素食。」

處於這樣的環境，要堅持佛教比丘的修行，也是非常艱辛的。在賢度法師赴維也納之前，續演比丘就曾寫信跟她提到：「回去維也納後過得很辛苦，要讓大眾了解漢傳佛教真的很困難，而且常常感到自己很孤單，甚至想要放棄。」他又問賢度法師：「我要怎麼樣，才可以讓自己比較有powerful（力量）？」

賢度法師鼓勵他專修一個法門，一段時間後自然就能增強自信和能量。「我鼓勵他，不要急。我會和他一起想辦法來讓大家更了解華嚴。同事與利行，對華嚴菩薩行者來說，是必須具備的素養。菩薩道中的『處眾無畏』，我想這也是續演比丘一直想要的powerful。」

初次來到歐洲，第一眼的維也納帶給賢度法師的印象為何？「我在維也納待了八天，續演比丘讓他的朋友帶我們到市區走走，滿眼所見都是兩百多年以上的壯觀建築，推開每一道堅實厚重的大門，以我的體力都感到十分吃力，因為要抵擋長冷冬天的巨大風雪。」賢度法師憶及這座典雅而瀰漫歷史氛圍的城市。

「街道上到處都是露天咖啡座（café），許多人坐著悠閒地喝茶、聊天，曬曬太陽，享受浪漫風情，這對生活步調悠閒的歐洲人來說，是很基本的需求。相較之下，我這個四處在世界宣揚華嚴的空中飛人，簡直是個工作狂，沒有一時片刻停下來，一點也不浪漫。」

面對如此優雅的情景，賢度法師自問：「享受是什麼？I don't know，我真的不知道，我也不可能坐下來和人沒事喝咖啡、聊聊天，我心中只有華嚴，說的也是華嚴。出國都是為了弘法，甚至因為出國次數太頻繁，在辦美簽時差點被拒絕，經過查證是學術研討教學才放行。」

度過了一點都不浪漫的維也納八日行，二〇〇六年九月一日，續演比丘開車載著賢度法師直接穿越國界，前往位於匈牙利的華嚴佛學中心，賢度法師此行也順道為續演比丘新建的佛塔主持灑淨啟用的儀式。「續演比丘自己建造一座白塔，像圓拱型大白塔的形式一樣，我建議他要舉行一個啟塔儀式，他完全沒有概念，只是建好時邀請他的朋友一起來慶賀。我跟他說：『既然我在這裡，那我就來幫你做一個啟塔儀式。』」

於是，開啟賢度法師第一場歐洲啟塔儀式，隨緣方便地為之念誦〈大悲咒〉、繞塔灑淨，然後請續演比丘和在場法友們把全部食物拿出來供養，進行施食、蒙山，還拿出隨身攜帶的英文版〈華嚴發願文〉，讓大家跟著一起朗讀。最後一邊繞塔一邊唸「大方廣佛華嚴經」、「華嚴海會佛菩薩」佛號，前後一個鐘頭，儀式圓滿。

受續演法師邀請前來參禮的歐洲法友，對這些中國傳統儀式感到十分新奇，尤其在儀式中，賢度法師帶領大家一同齊聲念誦英文版〈華嚴發願文〉及佛號，繞塔禮敬，對他們來說更是印象深刻，對大乘佛教也生起滿滿的歡喜心。「他們覺得這樣的中國傳統儀式，雖然形式繁複，可是有它的意涵。我也解釋整個儀軌內容為何，讓他們更能理解，並產生認同。」

關於此次歐洲弘法最大的心得，賢度法師說：「經過幾天的接觸，我感覺他們對華嚴相當有興趣，甚至也看過外文版《華嚴經》，有英國湯瑪斯翻譯的英文版，德國翻譯的德文版，還有梵文版。有人就直接問我：『這三種版本的《華嚴經》差距很大，到底哪一個版本是最好的？我們該相信誰？』我發現他們在譯文方面有很大的障礙，因為每一種語言的詮釋方式是不一樣的。

「比如英文版用了很多基督教或天主教的名詞，類似 God、wisdom、paradise 這樣的用語表達『華藏世界』，可是『華藏世界』並非如此。我只能跟他們說：『沒有任何語言是等同於佛陀當時在菩提樹下講華嚴時的那個心，所以我們不要執著，這都是人世間的語言。即使是梵文，當時龍樹菩薩從龍宮得到的十萬偈，從他九十天的背誦，再到後來書寫成梵文版的《華嚴經》，都已經有一段時間以上的距離了；透過時空轉換，流傳到中國成為四十、六十、八十華嚴三個譯本，且不同朝代翻譯的版本不同，你能說哪一個是好，哪一個是壞嗎？要相信哪一個？

「事實上，這都和佛陀最初二七日成道時的三昧演法，不能劃上等號。所以今天我們學華嚴的人，要懂得超越文字相，找到佛陀真正要給我們的訊息是什麼。如果透過文字不能找到，那我們就要去實踐，再從實踐中去印證，從實修方面去得到啟發，這才是佛陀真正要告訴你華嚴修行的內容，以及親證的果位。」

問這個問題的人，其實對華嚴研究很長一段時間，也曾經嘗試和他人講解華嚴，靠著自己的摸索去比對不同版本的差異，但始終無解，所以很直接地提出問題：「以你一個中國比丘尼的立場，你怎麼看待這些翻譯版本？」

後來，賢度法師給他一個答案：「你不要把這個問題當作是問題，你就一直在上面做文章，你有多少時間去修過華嚴呢？」

賢度法師問他時，他頭就低下來，「本來他覺得這是一個很現實，而且是很嚴重的問題，因為他也要給他的學生答案。我也知道他們在這些版本的比較中，花了很多時間，但我這一解，他就全部放下了——你修華嚴就是了嘛！

「結果他聽完後，就站起來離開現場，但臉上是帶著微笑的，我感覺他的心裡已經沒有什麼罣礙了，在這三天的華嚴講座中，他已經得到圓滿的收穫。我以一個華嚴行者的立場跟他介紹華嚴，和用知識系統做學問的方式，是完全不同的。所以我回來後，他們寫信來說：『Master，你帶給我們很多，雖然你離開，但是你離我們不遠，你在我們的心中，在我們的靈魂中……』畢竟是浪漫國度的人們，對Master講話還是不忘風雅一番。」賢度法師笑言。

「以前學佛，我也會被這樣的問題給困住，也在那個地方徘徊很久。但是我現在學會跟隨每一個起心動念，學習傾聽，不管是菩薩或眾生，甚至是我內在的靈感，對我來說是很重要的，而不是受限於經文解釋。我也很坦白告訴他們，我用英文來解說華嚴，以我的語言能力和大家的理解能力，是相當困難的，但我們只有這個管道。而且，就修行層面而言，語文它不是一個問題，用親身的經驗去體悟，最後其實是the same，那個感受和體悟都會是相同的。」

最後，賢度法師給自己西方弘法的評價：「I do my best，這也是到目前為止，我對西方人傳教的最理想方式。我曾預期到西方傳法，我做了，也學了，也想辦法用我能做的最好方式去嘗試。我覺得可以給自己一個逗點，一個進行式，do後面加上ing，至少我覺得可以繼續做下去。」

南方的太陽

比南方更南的太陽，延長兩倍的夏天，不是浪漫而是熾熱的熱情，在等待著賢度法師所率領的華嚴團隊，前往更接近赤道的南洋國度。

二〇一七年六月二十三至二十六日，賢度董事長帶領弟子天演、天行、天起法師，應馬來西亞三寶堂青年團顧問教師胡元翰居士之邀，前往該國主持「華嚴經研修營」，為馬來西亞佛教總會雪隆分會主辦，並由雪蘭莪三寶堂贊助。該堂於一九六二年八月重建落成後，禮請馬來西亞佛教總會主席竺摩法師（一九一三至二〇〇二年）開光說法，同時擔任永久導師。

「此次負責邀請的胡元翰居士，為與各地佛教界建立良好關係，積極了解海外佛教發展現況，曾於二〇一二年十一月來台參加『世界佛教青年高峰會議』至台北蓮社參訪。由當時天蓮當家導覽接待，了解華嚴宗傳承及蓮社歷代祖師，我們也在雲集廳見面。」

「事實上，蓮社與南洋佛教的因緣久遠。」賢度法師說起這些老故事：「我師父早年曾多次赴南洋弘法，與星馬佛教長老大德頗有交情。二〇一七年我率領徒眾前去弘法，是祖師善緣的延續。」

成一老和尚首次赴東南亞弘法是在一九六九年六月八日，由白聖老法師（一九〇四至一九八九年）任團長，出席在越南西貢召開的「世界佛教僧伽聯合服務社會大會」。此行，成一法師二度與新加坡常凱法師（一九一六至一九九〇年）會面，並結識來自星馬、印尼多位華僧。

一九七〇年十二月十七日至一九七一年一月十二日，「中國佛教會東南亞訪問團」受命宣慰各地僑胞，並考察當地社會文教事業，由團長白聖法師、副團長成一法師率三十餘人代表團浩蕩出發。先後訪問越南、泰國曼谷，最後飛抵馬來西亞檳城。當晚馬來西亞佛教總會假竺摩法師住持的三慧講堂，舉行盛大歡迎晚宴，邀請白聖法師主講，來自大馬的高僧大德竺摩、修淨、覺斌等法師及居士們齊聚一堂，會後由副團長成一法師代表致謝詞。翌日，參訪檳城各大寺院及著名佛教景點。

竺摩法師自一九五四年五月來檳城後，隨即開展在馬來西亞的弘法歷程，之後假檳城極樂寺召開馬來西亞佛教總會成立大會，同時膺任總會主席。一九七一年的這場盛會，是馬來西亞佛教總會自一九五九年成立以來，首次與台灣佛教界諸山長老的交流，也在此次場合，成一法師與竺摩法師等大馬佛教領袖結下美好法緣。成一法師還特別撰寫〈賀吉隆坡八打靈觀音亭成立卅五週年〉祝賀一文，感謝八打靈觀音亭住持鏡盦法師（一九〇〇至二〇〇〇年）設宴款待，引為一段佳話。大馬之行圓滿後，一行人又走訪新加坡，再過境香港返回台灣。

一九八四年八月，成一法師應「中國宗教徒聯誼會」之召，出任團長，組團訪問日本、泰國、印度、約旦、新加坡等國。此一訪問團是由佛教、伊斯蘭教、天主教、基督教四大宗教每教兩位代表所組成。此行拜會新加坡佛教總會、七大宗教聯誼會，其中與新加坡佛教界諸山長老常凱、演培、優曇、隆根、廣寶、慧平、空雲等法師互動熱絡。

賢度法師補充說：「我師父與新加坡佛教總會會長常凱法師兩人素來交好，此行常凱法師熱情安排參訪文殊中學；一九九五年，常凱法師赴菲律賓主持傳戒法會，並為瑞今長老祝壽，老和尚亦受邀參與盛會。而瑞今長老（一九〇五至二〇〇五年）與華嚴蓮社先祖南亭老人早年曾是安徽安慶佛學院的同學，為先祖賡續山誼，更成佳話。後來常凱法師圓寂時，老和尚不捨寫下〈敬悼星洲佛教總會長常凱長老〉紀念文，懷思之情躍然紙上。」

成一老和尚數度率團遠赴東南亞訪問、宣慰僑胞，與當地諸山長老大德建立如太陽照耀般的溫暖情誼，更別提魚雁往返的種種問候，一代華僧教界的殊勝情誼難能可貴。

賢度法師南洋弘法行

華嚴菩薩是一個團隊合作，也像是一場生生世世的馬拉松賽，賢度法師接起成一老和尚在東南亞弘法布教的棒子，二〇〇四年六月十二日至二十日受邀至馬來西亞大山腳琉璃精舍，為信眾們進行長達九天的《華嚴經》專題演講。是該寺於結夏安居期間，啟建長達三個月「護國消災祈福華嚴共修法會」的前行，住持真安法師還特別遠道來台親自邀請。

賢度法師從華嚴宗歷史、《華嚴經》大意、華嚴修證儀軌到華嚴字母教唱等等，和近百位信眾一一細說，對象從孩童到老菩薩均有。賢度法師再度發揮她的禪機說法，以輕鬆幽默的方式，令初機者對這部浩瀚的「經中之王」不再望而卻步。

講經期間發生一則意外的小插曲，有信徒特別供養鮮美的榴槤，是此地最著名的水果之王。但因晚間要授課，賢度法師先將榴槤放冰箱冷藏，待講座完再食用，哪知冰過的榴槤反而造成賢度法師消化不良，緊急腸炎發作，高燒不止。隔天，真安住持緊急請來醫生為賢度法師打點滴治療，但身體仍然虛弱無力。到晚上講座時間，真安住持不得已來到講堂，拿起麥克風對前來聽經的信眾們宣布：「賢度法師因身體微恙，今晚停課。」引起信徒們陣陣失望的聲音，也紛紛關心法師的身體狀況。

沒想到就在此刻，賢度法師已滿臉笑容地步上講台，向大家說：「講課開始。」現場一遍歡呼掌聲。真安住持對賢度法師為法忘軀、抱病講經的精神，感動得說不出話來。講座圓滿之際，真安住持率領信眾們一同懇請，希望賢度法師能夠每年都來馬來西亞宣導華嚴教義。

此行授課期間，賢度法師亦抽空至馬來西亞佛學院，為全體學生教授華嚴。雖正值酷暑，學生們仍把握聽聞華嚴教法的難得機會，現場反應熱烈。賢度法師言：「總之，這次弘法之行獲得廣大迴響。同年十二月十八日，馬來西亞佛學院畢業班專程來台參訪華嚴專宗學院，都十分肯定本院是最理想的華嚴修學道場。隔年（二〇〇五），真安法師有感於來寺求剃者日漸增多，必須建立華嚴法統，特別請求成公傳法受記，於六月五日在台灣正式受法。同日受法的，還有新加坡華嚴禪寺住持真定法師，他也率領徒眾一起獲成公慈悲傳法。所以我們華嚴法脈也延展到馬來西亞、新加坡。」

二〇〇四年十一月，賢度法師再赴南洋弘法，應新加坡佛教總會之邀，連續三晚（五日至七日）在總會大禮堂為五百位信眾，講演「華嚴宗簡介」、「華嚴宗源流」、「華嚴修行法門」三大主題。主辦單位弘法組主任傳顯法師及副主任果峻法師，為提升新加坡佛教講學風氣，培養信眾修學大乘經典及修行法門素質，故每兩個月固定舉行佛學講座。賢度法師此番專程前來開示的三場華嚴專題演講，更讓信眾們生起信心，紛紛請求法師常來講學，帶動星國修持華嚴法門的風氣。

二〇〇五年，賢度法師取得印度德里大學博士學位後，一路從大陸、美國海外弘法馬不停蹄的最後一站。她在十一月六日至七日，前往真定法師住持的新加坡華嚴寺，舉行為期兩天的《華嚴經》專題講座，介紹華嚴宗的歷史淵源，並就《華嚴經》的教義及修行法門做一番詳盡解說，參加的僧信皆獲益匪淺。

十一月十八日，結束新加坡講學後，賢度法師再應馬來西亞佛教總會主席日恆法師之請，舉行三天華嚴講座；二十一至二十二日又前往琉璃精舍，介紹《觀音法門》和《藥師法門》。一連串修行法門的推播，讓大馬信眾們更具體了解佛教各種修行法門如何行持，特別是整體而全面的華嚴法門，當地不少學佛者雖有意修學，但苦於無人指導。以上數場星馬講座下來，賢度法師為這裡虔誠的佛教徒建立了清晰的方向。

探索婆羅浮屠佛塔

二〇一一年，賢度法師參與一場特別的藝術講座，以華嚴〈入法界品〉闡述了婆羅浮屠佛塔的考證。十月二十七至二十八日，新加坡管理大學主辦的廉鳳講座（Lien Fung's Colloquium），以「古絲綢之路——東南亞地區的跨文化交流和文化遺產」為主題，舉行為期兩天的研討會。廉鳳講座是由前新加坡大使夫人李廉鳳女士所創辦，享譽國際。

此次研討會有超過三十位來自各國不同領域的學者，分別就紡織品貿易、陶瓷之路、貿易樞紐、藝術與文物，以及宗教信仰等議題發表論文。而賢度法師亦受邀發表〈探索婆羅浮屠佛塔與華嚴經的連結〉論文。

探索婆羅浮屠佛塔是這次研討會的重要議題，為證明佛教文化在東亞地區曾經蓬勃發展，並留下世界級的非物質文化遺產。婆羅浮屠佛塔的整體結構是依照《華嚴經》講述的內容雕塑而成，尤其〈入法界品〉善財童子五十三參更是最主要的精華。

這個議題，過去曾歷經無數次研討，但始終未能有一位學者能清晰闡述婆羅浮屠佛塔與《華嚴經》之間的關係。於是，主辦單位的承辦人袁楗學者，帶著此任務來到台灣求見賢度法師，希望賢度法師能撥冗出席並發表相關論文。除了一窺《華嚴經》堂奧，更讓大眾深入明白《華嚴經》如何契入佛教藝術文化之中。賢度法師勉為其難答應，因她並非佛教藝術的研究者，雖曾親至印尼禮敬佛塔，但短暫的瞥見並未留下太深刻的印象。所以她花了整整兩個月時間，參考國內外文獻資料才完成這篇論文。

在發表論文時，賢度法師先將《華嚴經・入法界品》的教義與內涵，透過中英文簡報，層次分明地詳述，以超越傳統考據學的方式，為婆羅浮屠賦予形而上的精神詮釋。論文中又探討婆羅浮屠佛塔中雕刻的佛、菩薩像，與唐譯《華嚴經》七處九會的佛、菩薩之關係。先說明唐譯《華嚴經》七處九會中，各有如來與三賢十聖的大菩薩為說法主及其說法內容，再深入解析《華嚴經》整體結構與浮雕之間的關聯。最後以婆羅浮屠佛塔中展開了〈入法界品〉善財五十三參之旅，詳細介紹善財童子的現身說法，從凡夫經過參訪五十三位善知識，最後進入彌勒樓閣，而證入一真法界的實例，證實《華嚴經》

中六位行法是絕對成立的。

「這種親切、實修的示範，是我們華嚴宗教學上最大的特色，也就是寄位修行相，經由每位善知識代表著不同階位菩薩法門的實修者，從文殊代表十信啟蒙師，一直到普賢的行願印證者，傳授給善財五十三種不同的解脫門。在塔中以四百六十幅浮雕，闡述善財童子訪問菩薩、比丘、外道、夜神、彌勒佛等人物的場景，作品被處理得十分細膩傳神。」賢度法師論文發表時補充道。

賢度法師最後結論：「自己並非佛教藝術或佛像研究者，但在華嚴經教典籍的領域上，已有多年研習及教學經驗，所以希望從《華嚴經》經文中，試著找出華嚴與婆羅浮屠佛塔的相關之處，透過此篇論文做進一步的詮釋。」

此篇論文，後被收錄在《2011古絲綢之路：亞洲跨文化交流與文化遺產國際學術研討會論文集》中。此行除了為婆羅浮屠佛塔的研究帶來宗教修行層面的解讀，同時也為更多人開啟《華嚴經》之門。

事事無礙

時序來到二〇一七年，賢度董事長率領弟子組成的華嚴團隊，再次領略接近赤道太陽的熱情。六月二十三至二十六日，為期四天的馬來西亞「華嚴經研修營」已然就緒，由蓮社副董事長天演法師、僑愛佛教講堂監院天行法師先教授華嚴學與《華嚴經》概論、華嚴字母等基礎課程，再由賢度法師主講「華嚴宇宙觀」和「華嚴經普賢十大願王之實踐」，並帶領學員禪修，引領學員初步對華嚴世界了然於心。

有一項特別的發現，讓她喜出望外：「胡元翰居士在二〇一二年至蓮社參訪時，初步了解華嚴宗的歷史及特色，故發心籌辦此一營隊，獲三寶堂勝勤法師的贊助支持。我們在活動之前先去參觀三寶堂時，意外得知早年與成公長老有諸多往來的竺摩老法師，即為三寶堂的永久導師。所以這次研修營可說是祖師善緣的延續，也令人感嘆緣起總是不可思議。」

賢度法師又驕傲地說：「這次弘法不僅延續十餘年前結下的交情，更顯示蓮社培育僧才有成，代代薪火相傳，每位法師一上台都是能言善道的善慧說法者，必能將老和尚所開啟的弘法事業承續不斷。」

短短四天營隊課程，內容緊湊而豐富，期間正值馬國新年假期，學員以放假的大專生居多，五十位學員齊聚吉隆坡市郊萬達鎮佛學會認真學習，法喜充滿。有學員感性地分享說：「我們要從小小的菩提種子開始擴散，讓更多的種子遍滿虛空，相信這是《華嚴經》要帶領我們朝向的美好世界。」

賢度法師尤其讚歎：「可貴的是，這群青年種子，很多是在英語教學中成長的，對中文並不嫻熟，而經典多半為古文，艱澀難懂，若不是宿世善根，如何聽得下去？居然沒人打瞌睡！」

對賢度法師來說，這是一趟較為愉悅輕鬆的異國之行，不但重新踏上了大馬的土地，感受祖師們交集的殊勝法緣，同時隨行的弟子們都能獨當一面，並團結分工地演釋華嚴，她不像是在印度求學時的孑然一身，或去歐洲弘法時的孤軍奮鬥。這支實力堅強的華嚴團隊，簡直是無與倫比，共同打出漂亮的一仗。

「因為是回教國家的新年，所以每天都在祈禱吟唱的聲音中醒來，是一次非常特別的體驗。萬達鎮佛學會一樓駐錫的南傳比丘在帶禪修，而我們在二樓講教，鮮明的對比之下，讓我想起千年前發生在盛唐時期的禪教之爭，莫名地打得如火如荼。而奇特的時空轉換，此際在異教徒的國度，南傳與漢傳佛教同時相遇，同在一個屋簷下，卻事事無礙。」賢度法師留下這段意味深遠的結語。

善慧說法，各得歡喜，事事無礙，因為此處最吉祥。

第十章

法雲　海印道場新使命

死亡的學習

你害怕死亡嗎？

對於生死，永遠讓我們感到好奇，即使我們可能都生生死死幾百回了，面對死亡還是心存著恐懼。特別在此刻全球病毒及各種天災人禍的危機中，無常如此迅即，讓我們再次思索生死的大哉問，再次探索如何在不安的時代中，安頓自己的身心。

重點不在於你怎麼死，而是你要怎麼活。因為死亡，使我們對此生的存在更有意識去決定活著的意義，這是死亡的價值與成就。做為一個佛教徒，做為一個宗教家，賢度法師透過她的生命經驗，她的每日修持去累積一股堅定、堅強的活著的力量，這份樂觀積極的特質，使她度過無數次的人生危機。有好幾次，賢度法師經歷了生死交關的一刻，讓她對生死更加豁達。二〇一〇年，賢度法師陪同成一老和尚將智老、南老的舍利子帶回祖庭安置完後，她自己忽然也倒下了。

「那年，老和尚病了，在醫院住了兩個月，好不容易出院能上飛機了，我推著坐在輪椅上的老和尚，再找將法鼓山讓給聖嚴法師的全度法師和另位男眾師兄揹著二老的舍利，一起返回大陸泰州光孝寺。我一邊忙著祖師入塔，一邊忙著做二老的生平事蹟簡報，當時老和尚人在發燒，我這邊處理完所有事後，發現自己也不行了。半夜發高燒緊急送醫院掛急診，醫生用的綜合性消炎藥，讓我產生嚴重過敏現象，全身快沒知覺。我徒弟聯絡院長趕來看是怎麼回事，院長一看很緊張地說：『萬一賢度法師怎樣了，那就糟了。』我很冷靜地說：『現在趕緊先把氧氣機推過來，讓我吸氧氣，然後把點滴關起來，改打生理食鹽水，看能不能把藥物沖掉。』這樣幸運地撿回一條命。安頓好老和尚在光孝寺的一切，我拖著虛脫的身體回來台灣後，緊急去醫院就醫。幾乎是瀕死前的衰相現前，經過五天的搶救，終於從死亡的邊緣回來這個世界。我的人生風險很大，但我就是死不掉。」

這中間一些冥冥中的助力就不贅述，但面對死亡的坦然態度，賢度法師以華嚴五祖圭峰宗密的公案故事，讓我們更清晰地明白如何面對死亡：

一日，山南溫造尚書來請益，問說：「悟得真理且停息妄念的人，已不再造業了，但當這一期壽命終了時，他的靈魂如何依托呢？」

宗密大師回答：「一切眾生無不具有『靈明空寂』的覺性，和佛是一樣。只是從無始劫以來，未曾了悟本具的佛性。妄執這個身體是我的形相，因此生起各種愛惡之情，隨之造業，隨業受報生老病死，歷經一劫劫長遠的輪迴之苦。但是如果具有覺性，卻是不曾生死的，生死就像一場夢，但本身是安閒的，就像池水變成冰一樣，不會沾濕自己。如果能了悟這個覺性，就是法身，本來就是無生，又有什麼需要依托。不過，真理雖然可以頓悟通達，但妄情是很難全部去除的，必須經常覺察，不斷地去消滅它。認知『空寂』才是自己的本體，不認同這個色身，以『靈知』為自心，不認同妄念。妄念如果生起，都不要跟隨它，這樣即使臨命終時，業也無法繫身。雖然死後去到中陰，可是所向自由，天上人間，隨意寄託，如果愛惡的念頭都完全消滅，便不再流轉生死於三界，如果能在微細身（靈魂）注入寂滅，那麼圓覺大智將豁然明朗，隨機而化現，這就是佛了。」

賢度法師對自己的幾番生死，亦如是說：「以多年對華嚴教義的研修，觀行的實踐，我面對死亡是毫無畏懼的，面對人生更是豁達。華嚴的祖師，都能預知時至，如上宗密大師所述，交代得明明白白。人的一生也就是在為下一期生命的工程規劃，自己要負完全的責任。若能對現世人間留下一點功業，為子孫後世做規範，也就不算虛度此生了。我以今世個人的修行證悟，去洞察生命的意義，最大的心得就是：斷一分無明，證一分真理，當下即是。」

斷無明，證真理不在明天，就在這一刻，這是死亡帶給她的學習。事實上，賢度法師也在一場演講中，為我們解開了輪迴程序的奧祕。

解密輪迴程序

二〇二一年四月二日上午，花蓮清水隧道北口發生工程車意外滑落，造成行駛中的太魯閣號出軌翻覆的嚴重交通事故，共計四十九人死亡，二四七人輕重傷，消息傳出震驚全台。四月八日，身為智光商工董事長的賢度法師，在參加該校慶祝五十六週年校慶及浴佛大典時，與會席間的友校校長提到該校也有學生不幸罹難，內心十分難過，因此請求賢度法師對此開示。

於是，賢度法師在示範浴佛前，做了一番精采的講話，也將生死流轉的輪迴程序做一番解密：「從去年（二〇二〇）發生的新冠肺炎疫情至今，最近又發生台鐵意外事件，為什麼呢？可能大家心裡都需要一個答案——這些事情是如何串聯起來的？答案就在於我們每一個人的心，到我們抬頭所仰望的星空，就是現代人所稱的internet，這個net是一個網，它就是一個訊息的傳遞。

「釋迦牟尼佛證悟正等正覺的那天晚上，他抬頭仰望滿天星斗，看上去就是密密麻麻、重重無盡的一張網。這不僅是一張宇宙之網，也是一張充滿生生世世的訊息之網，我們的net之所以會生生死死地輪迴在六道當中，其實都源自於我們的心。

「我們的心帶著無始以來的貪、瞋、癡、慢、疑等等煩惱；從起心動念，到言語，再到行為，都會形成一個『業』。這些業有好有壞，都會進駐在我們的心田，佛教稱此為『八識田』，就像一個倉庫一樣。眼、耳、鼻、舌、身、意這六項，我們可以探測到；但另外有一個讓我們生生世世不斷輪轉的第七識：末那，它會經由前面六識的作用，讓我產生對這件事情，從過去的經驗上去分別它是好是壞，我喜歡或不喜歡——這就是末那的執取和分別，然後它會帶動第八識阿賴耶，將過去根深柢固的粗種子引發出來，便聯結更多的訊息，因為阿賴耶是一個記憶庫。在我個人的修行過程中，我一直視末那為不共戴天之仇，就是要小心避免落入分別與喜惡，讓自己掉入業力輪迴之中。

「所以這個net，它就是經由我們的意識，產生許多訊息場一樣，這些訊息的發送與聯結錯綜複雜；像現在這一刻我們在此參加浴佛，這個畫面從此它就定格了，你就是這一塊因緣，這個時空的一分子、一個點，你想從剛剛那一刻把它切割出來，不去參與，那都是不可能的，因為那是存在的。那個存在就變成我們當下的一個共業，是一個善的共業；經由這樣的一個因緣，以後你碰到任何事情，與此畫面相關聯時，你又會發出一個訊號去搜尋，就像我們電腦IP一樣，不停地在那裡搜尋。

「我們每個人都有一個與生俱來註冊的IP，這個IP不斷地搜尋，當我們離開這個肉身時，並沒有把IP關掉，所以它會繼續地搜尋，直到下一世找到你的父母，這一世與前一世的因緣又是如何串聯呢？當你離開肉體之後，你只剩下訊號（靈魂），沒有五官和肉體，但這個ＩＰ的搜尋功能並沒有中斷，而且記憶庫的運作始終不滅，只要你因緣而生，就被稱為眾生，像一個被net網住的集合體[注1]。

「所有的事件，都是訊息傳遞所累積出來的業力效應。當這個業力不可思議變得更強大時，它發生時，就會推動你不由自主地、冥冥之中打開這一幕，這就是『定業難逃』。每一個發生的情境跟現象，都在這個net裡，不管你要不要，甚至超乎你的預期。就像疫情的發生、火車的出軌等等，它就是過去生生世世聯結在這個net之中，每一個環節都是一個報酬。

「所有喜、怒、哀、樂都發乎於你我的本心，每一個傳遞出去的訊息，都會形成一個業力，因此我們要更謹守我們的本心，千萬不要隨便起心動念。想去操控什麼？想去改變什麼？你後面所遭受的是損或者是益，都是不可名狀的。

「像今天這樣殊勝的浴佛典禮，且讓我們先放下所有不清淨、不可愛的病菌或意外，我們的肉體本身都在遭遇這些塵世汙染。但我們先不去想這些，而是去觀照我們未被汙染，無始以來那個本就具有的『佛性』。那是我們本具的自性，只是因為一念的無明，被這花花世界的一個好奇心給拖下去，所以我們要用這樣一個自性、覺性，提醒自己不要再去加入這個輪迴的糾結。

「此刻，我們齊聚浴佛，莊嚴清淨，這就是一個善因緣，我們要廣結善緣，從這個起點，把美好的善緣心念傳遞出去。現在這個社會需要善的信念凝聚，做一個很大的正負能量轉換，所以我們要主導自己的起心動念，進而影響別人；聽到是非，看見什麼不平等的事情，不要跟著去攪和。我們要了解，隨時提醒自己，這就是世間的net，我不要再隨便加上任何負面的訊息，nothing to do with you。唯有這樣才能保佑平安，甚至帶動一個國家，乃至整個世界的驅動。」

賢度法師的這段談話，也詮釋了二〇二一年她在清明節華嚴法會的開示：「悲心和智慧，我本就具有，但如何讓剎那、剎那的心念停歇下來，一旦平靜下來，本具的悲心和智慧就會體現出來。至於如何不造後業呢？八識田中的種子你是無法一一清理的，但前因、後果的中間有一個助緣，如何掌握現緣，築起一道防火牆，讓你通往向善、向上的道路，就是要時時管住這個末那，不要讓它再起分別好壞的作用，這樣種子即使有起，有存在，沒有現緣相應，就沒有後面的業果。」

這個掌握現緣，就是管住自己的起心動念，nothing to do with you，不要再釋放任何訊息出去，管住末那——停止好壞分別，身口意不要跟著「不善」起舞，將負面能量轉化為正面能量。而本具的悲心和智慧這部分，也是賢度法師修行華嚴菩薩道的體會：「慢慢進入第八地，菩薩無功用行、三業不空這一塊，我又發現，做人其實可以不必那麼用力，本具的那一塊看到了，那個報化——三業不空，曾經做過不會消逝，心就不焦慮了。」賢度法師又補充：「當然，做為一個華嚴行者，還是有最終極的加行，靠著自力往生華藏世界，這也是所有華嚴行者的歸向。」

這個加行的祕密武器就是「十大願王普賢觀行」。這記載於〈普賢行願品〉中，當一個人效法行持普賢菩薩的十大願：禮敬諸佛、稱讚如來、廣修供養、懺悔業障、隨喜功德、請轉法輪、請佛住世、常隨佛學、恆順眾生、普皆回向，並時時讚歎、憶念、宣揚普賢菩薩。臨命終時，一剎那間即往生西方極樂世界，蒙佛授記，未來能以智慧力隨眾生心而為利益，乃至盡於未來劫海，廣能利益一切眾生。

準提法門的修持

當一個人知道他死後將往何處，內心是篤定的，他將不再害怕死亡，反而更踏實地活著，但這份篤定也是靠著每日不斷修持而鍛鍊出來的。賢度法師說：「從年輕時，我對個人的修行法門就開始思索嘗試。就讀佛學院時，每天早課後，自己拜《華嚴經》，一字一拜。後來執事時，雖忙著幫老和尚打理事務，亦有課業壓力，仍不斷嘗試各種法門，常常幾天就打個人七，《地藏經》、《藥師經》、《觀音法門》等等，一一自修。

「一段時日後，我的健康狀況並不理想，發覺個人的業障尚未解除，這會是我修行路上的障礙，因此決定修準提法門。一方面我是經由觀世音菩薩的接引才進入佛教，再者一位師兄也說過，準提感應很快，而且有求必應。」

然而，剛開始持咒沒多久，所有身心障礙竟如潮水般洶湧襲來，連煩惱也前仆後纏，來勢洶洶。賢度法師幾乎每天都在跟病魔糾纏，當時身為學生的她，深刻地感受到宿業現前、困難重重的境遇。

這是修行人經常遇上的淨化危機，修行不堅定的人往往因此而退縮，但賢度法師卻認為：「不管多大的障礙也不能停止。」雖然那位師兄一再告誡她：「準提法雖然感應快，要消除業障也很快，但也因此過去業障都會迅速現前，要償還掉當然也必須付出相當的代價。女眾如果沒有堅強的意志，最好不要修準提法門，你不要逼自己這麼緊，讓業障慢慢地消吧！」

賢度法師是遇事無畏的人，她說：「對師兄的勸誡，我是充滿感激。但心裡卻認為一旦停止這個修行法門，等於沒有突破考驗。何況自己總覺得未來還有許多事要做，非得在最短時間內把業障消除不可。一股勇氣上來，更激發起全力以赴的精神。

「說也奇怪，堅持一段時間後，久而久之，這個功課竟變成支持自己的一股力量，也是精神的寄託。以後，不管遇到任何困難，總會在做功課的那個時間，求菩薩加被。而冥冥之中，自己也似乎能收到一些訊息，無形中總有一股力量指引自己去處理各種問題。甚至做錯事情，就在那時向菩薩發露懺悔。」

一九八七年到一九九四年，賢度法師正式唸完九十萬遍〈準提咒〉，於是印製《佛說七俱胝佛母准提大明陀羅尼經》（唐金剛智譯），結合《准提佛母焚修悉地寶懺》及《觀音法門》為一書，並印製準提佛牌與大眾結緣，開始以此法門接引信徒，推廣準提法門。一九九五年到二〇〇二年，另一個九十萬遍完成，之後賢度法師又繼續持誦累計到二〇一八年一百八十萬遍，總回向為宜蘭海印道場申請開發籌建。

在得知賢度法師以此法門接引信徒後，成一老和尚也道出智光長老和自己的親身體驗。原來智光長老也是修準提法門，並跟隨持松法師於上海學習唐密且接受灌頂。而且智光長老持〈準提咒〉已經很靈驗，持咒持到白色牆壁上會現出準提聖像的功力。

《蓮音》雜誌第十一期如此詳載：「智光長老終身受持準提法門，親繪準提咒輪。智光長老他老人家持〈準提咒〉，持、持、持……，在自己寮房的白牆壁上，現出準提菩薩。大家都知道，以至於大家都願意來看一看，老和尚就持、持、持……，耶！牆壁上現出菩薩影像來。那麼這個準提菩薩的影像，是智光老和尚的信心，配合定慧的工夫，才能現出來。」

賢度法師又說：「智光長老生前也傳授成一老和尚受持〈準提咒〉，老和尚也奉行不輟，早期開創道場多得力於準提菩薩的加被。後來建僑愛佛堂時，桃園、台北兩地跑，一路上老和尚總是持〈準提咒〉，求菩薩慈悲加被。直到二〇一五、二〇一六年，老和尚發願往生兜率淨土，才專持彌勒佛號，否則，過去都是修準提法門的。因此，我師父非常贊成我修這個法門。基於自己修持的體驗，還有老和尚的鼓勵，我心裡更有信心，立志終身受持。」

二〇一〇年五月二十八日，賢度法師在一場專題講座上，亦特別開示準提法門，介紹準提佛母十八臂像，解咒並教授準提日課，大要如下：「準提法門必須福慧雙修、解行並進，才得契入此法門，含藏取之不盡、用之不竭的寶藏。不論從心靈的開發，到色身、氣質的轉化，乃至明心見性，都為我們勾勒出一幅美妙的修證藍圖。最重要是必須具足堅定不移的信心，依教受持，鍥而不捨，自能有求必應，心想事成。準提法也正是能與華嚴法界觀中『事事無礙、重重無盡』觀境相應的法門。

「依《唐密準提日課修持概要》，每早晚各念兩百遍〈準提咒〉，若時間不允許，也不得少於一百零八遍。修持此法又有四個階段：一清業障，二求智慧，三求福，四終身，持一經一咒不間斷，則福報無量。……總之，在現世可得之福報：一息災：消除災障；二增益：增加功德、智慧、福報，得五福：長壽、康寧、富貴、眷屬、善終；三敬愛：受人敬愛，人見歡喜充滿；四降伏：一切魔怨退散，趨吉避邪。」

二〇一一年起，蓮社即定期舉辦準提懺共修會。二〇一五年十一月二十九日起，逢每月第五個週日，訂為準提法門一永日共修法會。因蓮社諸多居士常年持誦準提經咒以為日課，故一永日的共修會上，始終座無虛席。

賢度法師進一步解說準提法與華嚴法界觀的關聯：「華嚴蓮社自第一任住持智光老和尚開始，傳此準提法門以為銜接華嚴教觀中無障礙法界、帝網無盡觀行的實修法門，探掘行者身心伏藏；此中觀修心要，即如《華嚴普賢行願修證儀》所載。持此法門的華嚴行者，每每多有所感，甚得僧信二眾信受奉行。」

而遼代道㲀法師在他著作《顯密圓通成佛心要集》中，將世尊教法歸納為顯圓與密圓。顯教中尊崇《華嚴經》，是諸佛菩薩心要，包羅三藏五教的教法，並力推《普賢行願品》是華嚴最關鍵、修行的樞機；密教中則提出，準提咒法收攝顯密圓教，是諸佛之母菩薩之命，具包三密總含五部，以準提法包容了所有的真言密法，形成顯密圓通的準提別部法，將顯密教法和華嚴義理圓融一體。故提倡顯密雙修、顯密圓通的準提法修證體系。

賢度法師在閱完《顯密圓通成佛心要集》深受啟發，直覺準提法並非僅於四部密教中的事部，更不是持咒向外祈求加被的日行功課而已，當結合華嚴教觀提升為瑜伽行觀，與帝網無盡觀的觀境相應，啟發自性本具的準提（準提，清淨之意），並效法施予成就的準提菩薩，應眾生的機感，適時為眾生排憂解難。

二〇一六年，賢度法師在昔日德里大學學長的護持下，赴印度閉關專修準提行法。「學長長年在印度修學密教，推薦了瑜伽行觀的教授和尚，參考不空三藏所譯得《七俱胝佛母準提陀羅尼經》及唐密準提行法，我們一同整編了一部可供四座瑜伽觀行自修、傳授法門、道場加行兼具的儀軌。」賢度法師說明。

修學完成回台後，賢度法師即將此行法傳授給弟子，此後舉凡大法會加行都依此儀軌，由賢度法師帶領諸弟子們一同主持。如此長年實修下來，個中三昧，其中精妙，已化為自己的生命厚度。如今她的恩師已然離去，但她還有另外的精神帶領，她說：「在華嚴，我一直遵奉普賢菩薩的教導；而助道行法上，準提菩薩一直給我最好的加持。」

華嚴教觀合修

做為一個華嚴專修、專研、專弘的道場，台北蓮社及所有僧信當仁不讓地成為世界華嚴修行法門的典範，共修法會也表現出十足的華嚴特色。南亭老和尚自一九五四年啟建週日華嚴誦經共修會長達六十五年不斷，一九五七年啟建春秋二季華嚴誦經法會，分誦《八十卷華嚴經》，年終舉行「華嚴佛七」至今。

既是華嚴宗正祖傳承，所以不論法會或共修，一切皆依祖師集著的「華嚴行門儀軌」進行。南亭老和尚於一九五四年，依據北宋華嚴中興教祖晉水淨源大師編訂的《諷華嚴經起止儀》，為蓮社制定「華嚴行門儀軌」系列，其中固定每月農曆初二、十六日引領信眾共修，諷誦《八十華嚴經》，每次兩卷。又於一九五七年春季農曆三月初一日，與秋季農曆九月初一日，各四十卷分十天諷誦，一年圓滿一部大經。在例行每月共修或春、秋兩季華嚴法會，只要有誦《華嚴經》，主法者必開示法要，使在場所有與會信眾，對《華嚴經》法義深心信解，不是只有誦經而已。

晉水淨源大師（一〇一一年至一〇八八年）為華嚴宗第九世，於宋神宗時在錢塘慧因寺大力弘揚華嚴宗，連高麗國師僧統義天也慕名渡海來拜他為師，原本華嚴宗散佚海外的疏鈔，經由義天帶來向大師請益，因而重新流傳中國。

「華嚴行門修證儀軌」以晉水大師編集的《華嚴普賢行願修證儀》為依據，可分三大類：一為《普賢行願懺儀》，二為《華嚴經海印道場九會請佛儀》，簡稱《華嚴懺法》，三為《華嚴四十二字觀門》。其在《華嚴普賢行願修證儀》中所闡述的華嚴思想，對後世「教觀合修」產生巨大影響。

一九九四年，賢度法師任住持時，為順應新時代變遷潮流，將華嚴共修改成每月第

一、三週的星期日，同時每年例行的春季華嚴與清明祭祖結合；和十月秋季華嚴各分十永日，固定為週日圓滿，期使工商社會忙碌的信眾們，都能有機會熏習華嚴。

二〇〇九年，賢度法師擔任第三任董事長，承繼智光、南亭、成一三位恩師風範，她認為：「過去法會的內容，都在於誦經、開示或華嚴四十二字母為主。在每年誦一部大經，理應在法會中設立華嚴七處九會海印壇場，於此壇場舉行修證法會更加殊勝；同時在誦經前，應先引導僧信二眾，依《華嚴普賢行願修證儀》，進行觀修，在諷誦《華嚴經》的同時，隨文入觀，才能更深入了解法界無盡的真理。」

賢度法師自一九九〇年起教授《華嚴經》教義、哲學思想、修證儀軌，迄今超過三十多年。二〇一〇年首次嘗試領眾禮拜觀修《普賢行願修證儀》，在懺會過程中，感受此法儀軌簡單隆重、莊嚴殊勝，唯一遺憾的是，觀行契入方面，無法達到教觀合一，情境融合。

於是，二〇一一年又策劃聘請依林法師彩繪華嚴七處九會為首的九幅諸佛菩薩圖像，賢度法師從中指導敘述《華嚴經》內容，再讓畫者構思華嚴海會諸菩薩的意境圖；

同時進行晉水淨源大師編集的《華嚴普賢行願修證儀》重新排版工作，流通於世。希望藉《普賢行願修證儀》更深入經典教義，以掌握華嚴法界觀行要領，引領學生與信眾一同融入華嚴法界觀門中帝網無盡的廣闊，及無障礙法界的修習證入，真正一窺海印三昧七處九會的本源，更期盼推廣《普賢行願修證儀》，讓《華嚴懺法》能延續流傳。

二〇一二年三月起，她將修證儀的模式擴大舉辦，結合九幅諸佛菩薩聖像，設立華嚴七處九會海印壇場，舉行「華嚴七處九會海印道場修證法會」，帶領信眾依《普賢行願懺儀》觀修。在諷誦《華嚴經》的同時，開示經義，讓現場的參與者隨文思義，深入了解法界真理，在保存傳統中，又融入現代創新的冥想風格，眾人皆感受深刻。

賢度法師笑言：「領眾焚修，悠遊華藏世界，一行一切行，願諸大眾皆能懺除一切障礙，身心自在。這次與會大眾首次禮懺《華嚴普賢行願懺儀》，透過觀行以身禮、口誦、意觀，對治三業罪障，皆感身心清涼，如同甘露甜美，既感動又震憾，個個法喜充滿。」同時，這也是一份承先啟後的傳承責任：「創立至今已七十週年，可謂開啟先河的華嚴蓮社，以晉水淨源大師所編的懺法儀軌建立影響，荷擔中國近現代華嚴宗復興、宗門薪火傳衍的歷史使命。」

宜蘭海印道場新使命

「不過，蓮社在台北市區的空間已經有限了，無法將此華嚴觀行法門及壇場供養做為常態性的加行功課。且所有的空間已呈飽和，都做為弘法殿堂、佛學院講堂、推廣教育教室、文化編輯辦公室、圖書館等，以及國際華嚴研究中心培養學術人才之用。我們需要另外建立一個海印道場，以利長期帶動四眾研修，並培養發展四大志業之人才。」

於是，從宜蘭來出家的賢度法師，又準備回到宜蘭。

二〇一六年董事會議中通過：「取得宜蘭縣員山鄉面積約五千多坪土地，做為蓮社宜蘭分社海印道場的興建基地，以做為兼具華嚴、南山律、臨濟禪宗正統法脈傳承，永續培養華嚴人才專業進修，及華嚴推廣教育種子師資的培育基地。同時順應當地的環境地形，希望帶動周邊產業提升，以此建立華嚴道場的信仰中心，再創社會教化事業佳續。」

對宜蘭，對員山鄉，賢度法師再熟悉不過了，那是她的故鄉：「海印道場位於宜蘭縣員山鄉冷水路，是三面環山，一面朝向蘭陽溪的平原地。這裡的山脈屬雪山山脈的分支——紅柴山，北接阿玉山，南通中嶺山、拳頭姆山，三面亦有溪河，分別是粗坑溪、頂粗坑溪、蘭陽溪。可說是地靈人傑，風景十分秀麗清幽。

「員山鄉很早就開發，清朝乾隆五十八年（一七九三）就有漳州、泉州漢人來此開墾。當時漳籍人開墾的地區，多冠上『結』字做為地名，而泉籍人的則冠有『鬮』字，如結頭份、三鬮二、大三鬮等地名，現在仍存於員山鄉。在近年宜蘭的開發中，此地仍保有純樸、美麗的農村生活，未來海印道場的發展，希望能與地方配合，結合休閒與觀光，保存其特有的自然景觀和人文歷史。

「而海印道場所在的行政區為中華村，是員山鄉西南部一處地形狹長的村落，全村約十三平方公里，總人口三百多戶，共七百多人而已，台七甲線為主要聯絡道路。居民的信仰以佛、道教為主，鄰近廟孙林立，像是粗坑協天宮、土地公廟，再連玉雲宮等等，是這一帶的特殊景觀，也是居民休憩活動的場所。在海印道場對面山間就有一座山神廟，我們也去朝禮過。地方人士得知我們要來建寺都十分期盼，特別中華村的村長陳明華女士，十分熱心公益，並重視環保，曾阻止當地開採瓷土礦，避免造成水源汙染危機，一直致力推動中華社區農村再生計劃。期望未來道場建立完成後，我們也能盡一分心力。」賢度法師帶著一份虔誠的心意說。

至於海印道場的規劃與建築配置，則詳解如下——海印道場整體建築共三棟。A棟大雄寶殿為核心建築，提供做為四眾早晚課共修大殿，亦為各型法會信眾朝拜、祈願場所。其中一樓大殿中央供奉華嚴三聖像，中間供奉本尊：華嚴教主毘盧遮那佛，兩側分別為文殊菩薩、普賢菩薩聖像，主佛後方有大幅海會聖眾浮雕。

七處九會各設有專壇，大殿兩側另各設四個固定專壇，供奉各會會主聖像；後方各有大幅海會聖眾浮雕，呈現《華嚴經》海印道場七處九會海會聖眾的圓滿莊嚴壇場境地。

A棟二樓空間，將製作華嚴宗歷史影片及法寶、文物展示，以弘揚華嚴宗史。三樓將陳列善財童子五十三參塑像，並以數位影片介紹善財童子參訪善知識歷程，成佛之道的勝境。此外，二、三樓空間將做為教學，及加行、禪坐、觀想指導等系列華嚴觀修研習講堂。

B棟為行政住宿區，一樓為銜接入口山門的建築物，從山門進入，將配置知客接待室、事務處、會議室做為宗教諮詢、參訪導覽接待、在地民眾關懷、聯誼等行政服務空間，左側為齋堂及廚房。

華嚴法系弟子需經過嚴謹的養成教育，除教義研習、閉關自修行持與弘法實務歷練，尚需取得生命實踐中斷障、行持、證如的果證。故B棟二樓設置獨立關房，為僧侶閉關進修空間。B棟三樓寮房部分，開放給隨眾參修的居士們，於集訓活動期間掛單，或申請常住之需。

C棟菩薩殿，為僧信二眾禮拜祈福的空間，一樓延生堂，供奉藥師三聖像。二樓蓮生堂，供奉西方三聖像。三樓供奉準提菩薩聖像。

C棟菩薩殿建築配置獨立於基地西側，以新穎的圓型建築形象打造而成，將成為當地明顯地標，以吸引周邊民眾進入道場參訪禮佛。配合庭園植栽與步道設計，與A、B棟合圍，自成一獨立院落，是基地內清幽僻靜的獨立場所。

在綠化方面，海印道場將全面規劃大面積喬灌木，與各色花卉及四季蔬菜種植，使四眾體驗自給自足的有機戶外生態環境。並利用複層植栽做為媒介，除建築必要配置外，都保持原有生態；又考量多雨氣候，地面皆以透水材質，配合排水及滯洪設施，設置遊憩空間，供大眾享受最清淨、自然、和諧的環境。

至於建設進度，賢度法師如此預期：「目前整地完成，預計二〇二一年底開始動工，一年後先完成第一期基礎建設，以及C棟菩薩殿，三大建築整體完工日期預計五年內完成。」

對於未來的藍圖，賢度法師又說：「屆時我也該從董事長的位子退下來，把事務交給年輕人去打理。自己專修華嚴觀行，過一段鄉村生活，親手種花種菜，嘗試用不同的文化方式推廣華嚴，用藝術賞析華嚴，將海印道場打造成具有華嚴特色的文化村。我會扮演著善知識的角色，希望將來這裡住的都是各個領域、學有專精的善知識。」

看來這朵大法雲即將在宜蘭員山停駐，十地菩薩的大法智如雲，所以稱為法雲地。其智行無礙，處處殊勝，十地菩薩的法身圓滿，就像一朵大雲降下法雨甘霖，以大智慧教化眾生。法界中再也沒有任何難題可以困擾他，因為他就是這朵充滿智慧的大雲，所有的佛法事業都將因此而興起。

金輪聖王統領四天下，他具足智慧，而且富樂無比了。忽然有一天他昏睡時，夢見自己是一隻螞蟻，在這個夢中，他認為自己就是螞蟻，而不是金輪聖王，一直在繞來繞去。這個夢會做多久呢？所有的修行原來都是記住自己的過程，記住原來我是金輪聖王，記住原來我是菩薩，記住原來我是佛，然後夢就醒了。

經歷六十人生的賢度法師，應該已經記住自己是誰了，但她不會停步不前的，如她一再所說：「我不是投機取巧分子，什麼事情想做，願意做，我都馬上去做，三十多年埋頭苦幹到現在，未來盡可能把我這一生真正的任務完成。」

似乎都可以看見她的足履已經踏在海印道場，在浩瀚經典大海中翻閱思索，或者講經說法，這是她最快樂的時刻了。

注釋

1 大乘佛教中，瑜伽行唯識學派認為，投生下一世的本體，是含藏萬有的阿賴耶識，而不是中陰。

【後記一】

我們眼中的賢度法師

文—鄭栗兒

素樸的桌椅及擺設，書房牆面掛著信徒畫的準提菩薩圖，另側櫃內擺放幾尊日常修行的菩薩像，這就是賢度法師在蓮社二樓清簡的日常空間，像是沒有任何雕琢過的禪房，完全斷捨離了世間的裝飾，乃至一花一葉。

因著本書的撰述，我認識了這位奇特的「華嚴行者」，多重的身分中：出家法師、華嚴蓮社董事長、智光商工董事長、華嚴專宗學院院長……，在在顯示出她理想的出家女眾「具丈夫相」特質。女性角色只是她這一世的外在性別，但內在她已經超越了男女的限制，展現一代尊者的隨機教化、豐厚學識，以及認真實修、全力以赴的菩薩擔當。

這麼多頭銜壓在她的身上，但她轉頭一笑，又是一個天真的佛子，用真誠看待這個世界，既努力又認真地想要別人能夠活得更好，既努力又認真地想要這個世界變得更好。她擺脫了別人對她的眼光，活出她自己，全然奉獻在佛法事業上，以佛的正知見和五戒十善，做為待人處事、教化世人的方針。她不應酬，也不花時間閒談，所有她要說的、要做的，就是華嚴的法義與實踐，就是成就一個菩薩的生命旅程，助己助人。

這是我為戒德長老、悟明長老、東初老人著傳多年後，再次因緣際會而為華嚴宗女性傳承者——賢度法師訪談為傳。每位大法師也在著述的過程中，給予我學佛的啟發，教導我不同的學習——比如自在、承擔及氣度。而此次賢度法師帶領我一窺華嚴祖師們的天地，我們內在靈明空寂的本體與我近十年靈氣的教學體悟是一致的，所有阻礙我們前進的都是日日生起、時時相隨的妄念、分別與執著而已。而從賢度法師本人，我又看見無悔地精進、事事無礙地往前行，簡直是奮不顧身的，就是「勇敢」二字。

說起來，我們都太愛惜自己了，而菩薩自利利他，其所見、所行與凡夫所衡量的因果與維度是不一的。煩惱如影隨形，一般人光是解決處理煩惱就忙壞了，頭腦跟著煩憂、處境團團轉，早已忘失本具的佛性。值此混亂的世代，天災人禍，病毒與戰爭，種種生存危機中，善知識的存在，就像黎明之光一般，帶給我們希望與啟發，讓我們記住自己的光明與溫暖，一直追隨著這樣的光明，分享無私的愛，直到解脫的彼岸。

而與賢度法師親近，不管是俗世或出世的家人，與她之間的交會更加深刻。二〇一四年起跟隨法師身旁擔任隨行侍者，負責行政助理工作六年多的天起法師，如此形容她：「她是身教、言教一致的人。對自己的修行十分嚴謹，對教學格外認真，常常為法忘軀，成就他人；她常啟發弟子在道業上增長，指導學院學生在學業上進步，更進一步走向專業。而且她的實修經驗豐富，加上久病成良醫，就像一部為信眾解決各種困難的百科全書，只要是關於華嚴的推廣與講學，她一定義不容辭地前往，且不遺餘力。」

二〇一八年五月十八日至二十日，天起法師跟著賢度法師前往大陸九華山翠峰寺參加第二屆「華嚴論壇」。當時，九華山華嚴翠峰寺為了紀念「華嚴大學」於此創辦一百二十週年，舉辦了以「承繼華嚴宗風，復興華嚴文化」為主題的論壇，同時為成立的「華嚴文化教育中心」舉行慶典。

清末時，普照、月霞等法師於翠峰寺開建華嚴道場，因種種因素，辦學只一期便告結束。後月霞法師於一九一四年在上海哈同花園創辦華嚴大學，再遷至杭州海潮寺，又欲擬遷往九華山東崖寺未果，最後在常熟興福寺重辦，改名「法界學院」。

現翠峰寺住持印剛和尚一心想承繼祖師遺業，重辦華嚴道場，便創立「華嚴文化教育中心」，可是他不懂華嚴，透過大陸學者鄧子美教授而邀請賢度法師蒞臨指導。當時賢度法師才剛結束四月底在台北的華嚴專宗國際學術研討會，及五月初美國的華嚴經論講座與弘法，為了弘揚推廣華嚴，還是答應受邀。

天起法師說：「首日上午是論壇開幕式暨華嚴文化教育中心揭牌活動，我們一行人從下榻的飯店搭車，沿著崎嶇的山路直登翠峰寺，賢度董事長上台致詞及揭牌。接著是專題講座，因此次論壇有廣東省雲門佛學院、九華山佛學院、中國人民大學二〇一五屆宗教班、江蘇法界學院等兩百多位學僧和老師們參與。主辦單位特別邀請賢度董事長演講『華嚴的宇宙觀』，晚上還有『華嚴文化教育中心』的執行座談會，有魏道儒、黄夏年、鄧子美、陳永革、楊維中、韓煥忠等十四位著名學者參加並發表意見。賢度法師以自己經營華嚴蓮社及華嚴專宗學院的實務經驗，傾囊相授，讓印剛住持猛寫筆記。座談會休息時間，師父閉目養神，帶頭的學者知道師父身體本來就不太好，整整一天都沒休息，看得出來已經很疲憊，就輕聲問我：『怎麼不帶師父回去休息？』我搖搖頭，因為我知道這個會議未結束前，師父是不會離席的。師父曾說：『既然人家有心要推廣華嚴，我們只是經驗分享，對他們卻是如獲至寶。』結果會議結束回到飯店，已經深夜十一點多了。」

對天起法師來說，賢度法師最值得學習的就是「堅持」：「我在台中剃度出家，幾年後一直想更進步。某日睡午覺夢見普賢菩薩騎著六牙白象前來，我懺悔說：『弟子好懈怠。』後來至蓮社華嚴專宗學院讀書，一路走來，又擔任董事長助理，某天才發現師父電腦中普賢菩薩騎的白象，和我夢境中的好像。」緣起果真不可思議。

「擔任助理常要處理緊急事情，但看著師父處事的靈活與堅持，也讓我生起信心。之前師父已完成了許多別人眼中不可能的任務，如：美國蓮社大雄寶殿的興建完工、十年中培養一批『華嚴學者』教授，以及法界學院的成功復辦等等，相信下一個宜蘭海印道場的興建也能成功。華嚴大經給人的刻板印象是高深難懂，很難運用於現實生活，但師父是活生生的例子，她已走出一條路，我個人也要效法師父不怕困難、堅持努力的精神，繼續走下去。」

而對於未來海印道場的想像，天起說：「海印道場絕對是一個實修之地，鄉下的弘法與都市弘法是不同的，特別是當地居民對經教了解比較有限，但經教如何化為生活中的實務經驗，以及如何度化偏向道教信仰的信眾，對賢度法師來說絕對游刃有餘。比如有一次，一位年輕母親來向師父訴苦，孩子半夜總是不睡，師父看了看孩子對母親說：『祖先來跟他玩，你回去燒香跟祖先稟明，孩子太小，來看看就好，不要逗他玩。』後來這位母親這樣做完後，就沒事了。師父在弘法上，一直很強調『報恩行』，所有的回向要先回向自己的祖先，再回向給一切有情眾生，這是近年來佛教徒比較少做的部分。」

強調對祖先的緬懷與感恩，能讓自己在生活中更加順利平安，這絕非迷信，這種原生家族的能量連結與修復，在近年許多靈性療癒課程中，不僅深受歡迎，更有科學實證。幾年前，賢度法師前往美國弘法，曾遇上一個特別的案例：某位華人女信徒嫁給一位英國貴族後裔，生下兩個孩子，一個是過動兒，一個是自閉症，不知如何是好，來向法師請益。賢度法師看了後，解釋道：「這是先生祖先那邊的連結失聯，無法飄洋過海來到美國。」便請她在美國蓮社設立祖先牌位，定期誦經回向，再慢慢調教孩子成長。

姑且不論靈驗與否，但一個人若能溯本追源，自然禮敬天地，所有祖靈的能量也都會來加持。賢度法師本身也是個孝順的孩子，不論對家庭的付出，或對家人的照顧，從早年承擔家業開始鍛鍊心志，到後來一肩負起佛教事業的弘法重任，她的姊妹們受其影響，也跟著學習佛法，成為華嚴菩薩。

姊姊許佩蘭和妹妹許傳緯對賢度法師小時的印象都是：「從小她就非常安靜，不太表達內心的想法，有她自己喜歡的生活方式；是個活在自己世界中的人，不爭不鬥，不吵不鬧。」傳緯又說：「感覺她小時候是不快樂的，或許老天安排一個生病的哥哥，讓她也承擔很多艱苦，在其中體悟，走出困境，也讓她走到出家這條路。」

但這些不代表賢度法師是一個刻板、壓抑的人。相反的，不論在學校或在佛學院的學習，她展現出活潑、熱情的另一面。佩蘭說：「求學時期，她非常地活躍，還陪我參加救國團的舞蹈夏令營，當時我沒有舞伴，她還充當我的男伴，結果在這場活動中巧遇了我未來的丈夫，真是段難忘的回憶。」

雖僅年長賢度法師四歲，但佩蘭從小就一直扮演家中的母親角色：「弟弟一直生病住院，媽媽得去照顧，所以我得燒煤炭煮飯給妹妹們吃，幫她們洗澡，小時候真的太辛苦了，經濟壓力也很大。」

長姊如母的佩蘭，在二〇〇二年也進蓮社擔任總務工作，處理大大小小的事務，盡力為賢度法師分憂解勞，對法師十分崇敬：「賢度法師是一位獨立、慷慨、大氣，且思想新穎、勇於改革的人。記得我剛進蓮社服務，就常聽到其他法師、信徒們敘述當年她如何辛苦地整頓蓮社，才有今日現代化利益眾生的道場，是蓮社進步相當重要的環節，證實她有革新的見地。她對待弟子們，總是恩威並進，既鼓勵她們，又很嚴格。而除了擇善固執的特質外，她還具有敏銳的觀察和推測的能力，不管是過去在家，現在在蓮社，都是我們重大事情的決策者。有這個妹妹真是我們全家的驕傲。」

佩蘭又說：「父親對法師也非常尊敬，以前常來蓮社向她請益佛法，我們從小和父親感情就非常好。父親性格內斂，脾氣溫和，常會鼓勵我們。他在二〇一〇年過世，臨走前也和賢度法師討論往生後要去東方琉璃世界，他離開後，我們至今都非常想念父親。」

妹妹傳緯也說：「賢度法師是寵我、護我的姊姊，有時也像個會撒嬌的淘氣妹妹，同時也是可以論道的法友，更是能為我解惑的老師。而且她循循善誘，不強加個人意見，即使我倆在事情上有不同看法，她都會以善巧的方式開導我，等待我自己去體悟，找到答案，是個包容度極大的人。」

涉獵過許多現代靈性課程的傳緯，如今每週三天都在蓮社跟著賢度法師共修華嚴，她分享說：「法師帶領我們做『帝網無盡觀』的冥想時，可以感受到重重無盡的力量，心的力量是很強大的，修一顆真心，方能證得妙有。回歸佛法，是一切的根本之道。雖然我們小時候交集不多，但是到了一定的年紀，佛法將我們再次拉近，我相信海印道場在結合四方大眾因緣和合的力量，必能集氣完成。」

但不論姊姊或妹妹，對賢度法師的共同叮嚀是：「興建海印道場是您和眾生的願望，一路走來真的非常艱辛，為自己也為眾生，要好好保重身體、愛惜身體。相信海印道場在因緣具足，佛菩薩加被之下，一定可以順利落成，成為華嚴觀修的大道場。」姊妹情深，真情難能可貴。

目前擔任蓮社住持的天蓮法師，和賢度法師已有超過二十六年的法緣。年輕時她為了尋找生命的答案，一九九四年到桃園僑愛講堂聽聞佛法，而皈依了成一老和尚，隨即一九九五年至台北蓮社就讀佛學院，後來踏上出家之路，再經過知客、監院、住持等完整歷練。

談及出家的因緣，天蓮住持說：「我讀佛學院一年後對出家修行開始動念，佛學院的學習和每日早晚課讓我在對治煩惱上很受用。第二年開始醞釀，到第三年已經建立做這件事（出家）的想法，但未對任何人提及。當時師父還擔任住持，有一年佛七法會前，師父因病住院，但在法會的某一日開示時間，突然看見師父在侍者的攙扶下，仍至法座上為大眾說法，這一幕非常觸動我的心。目睹一位修行者不畏生死的精神，也是令我生起出家念頭的緣由之一。於是在佛學院大學部第四年，一九九九年一月依賢度法師披剃出家。出家之後，在蓮社做事或出國，就一直跟著師父學習。」

天蓮法師自謙地說：「我不善於表達，文筆能力不足，擔任住持的事務工作及待人接物方面，都能得心應手，但一開始上台講《華嚴經》是最困難的，尤其在詮釋祖師們的疏鈔經典這方面。以前要開示《華嚴經》常讓我吃不好、睡不好，但師父並沒有對我要求太多，要我把握主題和重點講清楚即可。慢慢上台久了，就克服講經的障礙，將經典整合於修持之中，反而是信眾最感興趣的。信眾最喜歡聽法師如何修行的過程，師父傳授的準提法門，也是我的第一個修行法門。在我住持期間，每天領眾早課一小時後，再做準提加行也已經三年多了；修準提最大的好處就是常常大事化小，小事化無，關關難過關關過。」

在天蓮法師眼中，賢度法師是一個道地的華嚴行人，最值得效法的是：她堅持每一個修行的信念。

「我進蓮社時，不懂什麼是三寶，什麼是華嚴，但卻一直堅信不疑，我想是過去世的宿緣。而且跟著師父做事，她展現的就是華嚴行人的特質，不僅是手捧目觀心口誦，對於善巧度化眾生方面，更是華嚴四攝的精髓，這也啟發我，什麼事認真去做就可以成就。我在財務方面也不是很懂，只會念經，卻從不擔憂蓮社的收支問題，因為一切信任佛菩薩的加持。比如金融風暴那年，會計很擔心收支不平衡，結果共修法會結束時，我站在門口恭送信徒，其中一位突然跟我說：『師父，我要捐助一百萬。』這些修行的信念都是日常的養成，也是師父潛移默化的教導。」

對於海印道場的興建，天蓮法師說：「籌備這項工程的過程，很多人都覺得十分艱鉅而困難，但師父像個超人一樣，一直在挑戰各種不可能的事情。師父要做的事一定會完成，我們只要成為師父背後的支持者，一起迎接面對這個任務，並且好好地修行，好好地吃飯、睡覺，做好一個華嚴人，就是回報師恩最好的禮物。」師徒之間的信任，是不需要言語去表白的，而是彼此間的互相扶持，攜手共進，這就是蓮社華嚴菩薩團隊的魅力與風格。

而蓮社副董事長天演法師回顧自己踏入華嚴佛學領域，也和賢度法師奇妙的接引有關。一九九四年，二十幾歲的天演，常在桃園僑愛講堂法會共修，當時住持為明度法師，為進一步學習佛法，協助法務，她在僑愛講堂住下來，並學開車等等。一晚，成一老和尚來帶領共修，結束後要返回台北蓮社。平常都是由明度法師送老和尚回去，但那次明度法師感冒無法開車，隔天法師在佛學院也要授課，便請天演駕駛，載他們回台北，然後在蓮社住一晚。

天演法師笑言：「我當時才剛學會開車，未曾上路過，要載老和尚回去，壓力實在太大了，但明度法師鼓勵我：『沒關係，我在一旁引導你，沒問題的。』就這樣大膽地將老和尚和法師送回台北蓮社。」

沒想到更驚奇的事情等在後頭，當車子在臨沂街蓮社後門停妥後，賢度法師來開門，見到天演的第一句話就問說：「你是要來讀書嗎？」

天演嚇了一跳，她以為自己學歷不夠，規矩不懂，從未想過要進佛學院讀書，但經賢度法師這一問，明度法師也鼓勵她，就是因為學歷不夠，規矩不懂，才要來學習。該晚掛單蓮社的天演，左思右想，便決定留下讀書，但什麼東西都沒帶，也沒準備，賢度法師很親切地對她說：「這裡什麼生活用品都有，居士服也有，可以直接住下來。」

天演就這樣入住蓮社，成為佛學院的學生。隔天上的第一堂課程正是明度法師講的課：「在佛學院讀書，就像是當兵受訓一樣，幾點起床、出坡、早課、禮佛、懺摩、上課……等等，非常有紀律。每週還要寫週記，讓師長了解這週學了些什麼，是否有助益。不僅是教育，在生活方面，老和尚和賢度法師也都十分關心我們的飲食和健康，常會採買補品或中藥配方，為我們調養身體；連牙齒不好，都讓我們去看牙醫，由常住支付費用。一般我們學生都是大法會才能出去，經常進出的話，心會散亂掉。」

一九九五年一月，農曆十二月初八的佛陀成道日，天演依賢度法師披剃出家，成一老和尚說：「蓮社不分是哪個師父，所有度字輩的都是師父。」但天演因從桃園僑愛講堂出來，所以每年寒暑假的兩場大法會——三千佛懺及梁皇法會，都得來回奔波桃園、台北兩邊參與，實在忙不過來，於是大學部畢業後，她向僑愛講堂告假，專心待在台北蓮社，歷經法務、住持，再到副董事長一職。

對於賢度法師在寺務中的日常身教，天演法師印象深刻地說：「師父做什麼事都很穩，也不緊張，遇事總是臨危不亂，冷靜以對。有一回華嚴佛七法會，一大早五點鐘就開始早課繞佛。那天老和尚上二樓大殿，來跟我說：『天演，廚房暗暗的，沒人煮早飯。』我趕緊下樓到廚房一看，果真沒人，廚師因故未能前來，但待會兒早課完，靜坐十五分鐘後，大家就要來用餐了。這時賢度師父也趕來，她得知情況後，不慌不忙地說：『冰箱有什麼就煮什麼。』並吩咐我說：『你上去大殿將靜坐時間延長些，等聽到打板聲開禁時，再讓大家下來用餐。』而她負責把眾人的飯菜全都煮好，準備妥當。當時我真的很緊張，可是師父的危機處理方式，卻教導我學習冷靜，不忙不亂，一步步來做。師父想事情很周全，事先都會準備妥當，做事也很果斷；遇到事情時也是見招拆招，不管是寺廟生活或是教理上，都能為我們排解疑難。」

對她來說，賢度法師既是教學嚴謹的明師，卻也是放手讓弟子獨當一面的大家長。天演法師說：「我們那時學習維那、敲法器、打花鼓，佛教儀軌還不熟悉，師父親力親為，寒假時教我和天悅幾位徒弟，進行一場魔鬼訓練營。後來我學會這一套儀軌後，師父就放手讓我傳授給其他學生。我已經教了一、二十年，我們每位華嚴弟子都要上場打法器、梵唄唱誦。」

時光荏苒，一轉眼天演法師和她的師父賢度法師，都從年輕出家的比丘尼到現在的中年法師了，色身已衰的現實，令她不忘對恩師說：「華嚴普賢十大願王，所謂十種行願者：一為禮敬諸佛，二為稱讚如來，三為廣修供養，四為懺悔業障，五為隨喜功德，六為請轉法輪，七為請佛住世，八為常隨佛學，九為恆順眾生，十為普皆回向。我也希望賢度師父色身圓滿，能保重慧命，相續人間，身體健康，常住世間，能繼續教導我們，帶領蓮社及海印道場，未來接引更多年輕人，傳承華嚴薪火。」

從一個踮腳尖走路的女孩，與世俗格格不入，不願被凡塵給汙染，到一位帶領菩薩團隊，設法在大地開拓人間淨土的華嚴行者，賢度法師的半生傳奇，堅持的信念與果敢的腳步，不僅是女性出家眾的示範，也是給予大眾的一種啟示與鼓舞——生命的夢想只要敢於實踐，堅持前行，這條完整的智慧道路便會為夢想者展現。最後祝福賢度法師與蓮社所有菩薩行者們，繼續創造每一朵美麗的大海印記，願海印道場見證每一位成佛的足跡。

栗兒合十／二〇二一年八月十四日

【後記二】

賢度淺說十地

文──賢度法師

《華嚴經》是一部大場景的故事，內容敘述了世尊經過三大阿僧祇劫的親身經歷，描述大乘菩薩行者從初發菩提心到修行圓滿成佛的階位，共分五十二級。而是否能修證成佛的關鍵就落在了十地位。〈十地品〉也是身為佛教徒晉階菩薩，成就菩薩道的重要指引。

這一會的地點在欲界「他化自在天宮」中，一開場，佛陀和許多從他方佛國前來的大菩薩們在摩尼寶殿上聚會，這些大菩薩各個都已修行圓滿所有的功德，能善巧示現種種神通，安住在不退轉的境界。

主角是金剛藏菩薩，藉由佛陀威神力的加持，進入大智慧光明三昧，因為要由金剛藏來宣說十地的法義。

然而金剛藏菩薩僅僅將十地菩薩的名字報了出來。分別是：一、歡喜地；二、離垢地；三、發光地；四、焰慧地；五、難勝地；六、現前地；七、遠行地；八、不動地；九、善慧地；十、法雲地。並強調說一切諸佛之法，都以這十地為本。十地究竟成就，才能得到佛的一切智智，但對於十地階位的境界、差別行相及修行主軸卻閉口不談。

而代表聽法大眾來請法的是解脫月菩薩，感覺到金剛藏似乎有所顧慮，便慎重其事地禮請金剛藏來宣說。金剛藏很為難地說：「十地法義甚深不可思議，說了有恐大眾因程度不夠，聽了無法接受，反而心生誹謗。」

現場大眾一聽紛感失落，無法壓抑，紛紛表達自己都是信心堅定的菩薩行者，請金剛藏莫要猶豫。

就像成長中的孩子殷殷期盼著，大地之母生發出慈愛之心來孕育萬物，用十地含藏的寶藏，來做為佛子們修行道路的資糧，也讓一切萬物能依地而生，依地而長，依地而成，依地而住，依地而得到解脫。

為了解除金剛藏的壓力，於是十方十億佛剎微塵數諸佛也現身，共同前來加被。不僅如此，更於毗盧遮那如來本願威力的加持之下，金剛藏菩薩才有足夠的能量一一解說十地菩薩的法門內容。於是，金剛藏開始分別介紹菩薩十地，從初地到十地的菩薩也就一一隆重登場了。

首先出場的是一位喜劇角色：歡喜地菩薩。在經歷三個賢人位的修證，已經把凡性給斷除了，達到對人、對法都不再執著，也自然顯現了真如本性。為了要邁入十種聖人階位，他必須強化以大悲為出發點，智慧增上，運用方便善巧，而進入世間去實踐自利利他的菩薩道，因此生起大歡喜。

他發起供養、受持、轉法輪、修行二利、成熟眾生、承事、淨土、不離、利益、成正覺願，並皆以廣大如法界，究竟如虛空，盡未來際一切劫數無有休息，來做總結與讚歎。這十種大願，為未來完成十個地位做立足點，還要學習能清淨對治煩惱、修行障礙的十種方法：信行、悲、慈、施、無疲厭、知經論、知世法、慚愧、堅固力、供養佛。為了成就大誓願，利益眾生，將一切內財、外財毫不保留地布施出去，成就大捨。

歡喜地菩薩不是來享受人間的榮華富貴，而是履行他的願行，完成生生世世的人生淬鍊。即使必須經歷分段生死，也是滿懷無限的歡喜，隨願受生，而且多做閻浮提王，成大財果。以布施、愛語濟渡眾生。以善巧方便，而入出世道，所有怖畏悉得遠離。專修布施波羅蜜，發願樂助眾生。當初地的功行圓滿了，仍繼續義無反顧地朝二地的目標邁進。

第二位閃耀登場的是離垢地菩薩，其持戒清淨有如金剛一般，光潔無瑕，遠離了引起誤犯淨戒的染汙。他以純善的心行，自性遠離殺生、偷盜、邪淫、妄語、兩舌、惡口、綺語、貪欲、瞋恚、邪見之十惡業；修人天、二乘、菩薩、佛這五種不同層次的十善業道，並拔度造惡業、入惡道的眾生。

他以攝律儀戒，做到無誤犯，自動遠離犯戒的因，在情境發生前，心地不起貪瞋癡的念頭，連最細微的煩惱都斷除，修正直、柔軟、堪能、調伏、寂靜、純善、不雜、無顧戀、廣、大心等十種深心。

入二地後，以大悲為首，慈憫眾生，觀察眾生會墮入惡趣，都是因為犯了十種惡業，招感上中下三品的惡報。菩薩當自修正行，亦勸他修正行，於晝夜六時保持心善、念善、行為善，令所有善法，相續不斷，念念增長，不容毫分不善念頭夾雜其中。久而久之，即能遠離一切惡法，成就圓滿一切善法。

佛弟子們唯有力行十善，才能真正解決世間問題，並拔度造惡業、入惡道的眾生。以愛語讓身口意得到淨化，舉手投足間嚴謹自持，時時為持戒波羅蜜增上而努力；既使生命轉變也隨願受生，再以轉輪聖王的身家，具備七寶法財豐盈，為大施主，滿足子民不起慳貪，讓大家都身體力行十善，不設嚴刑峻罰，百姓夜不閉戶，安居樂業。

第三位會發出聞思修智慧光芒的菩薩，一時照亮了聽法大眾的心，讓他們也一同發起清淨、安住、厭捨、離貪、不退、堅固、明盛、勇猛、廣、大心等十種深心，而得證入第三發光地。

此地菩薩常觀世間有為法，無常、苦、不淨，如幻不實，生起厭離心。對眾生起十種哀憫，對剎那生滅，種種實相，都能安忍以對，並發願精進修習四禪八定、四無量心、神通等禪法，得難動三昧果，殊妙教法，具法、義、咒、忍四種總持。此發光地已經掌握了忍辱行的要領，他除斷邪貪、邪瞋及邪癡的念頭，不積集不必要的欲望，所有善根，轉更明淨。

為了菩薩所發守護自他的誓願，以利行攝受同行伴侶，生活在和諧的氛圍中，不斷以忍辱心、柔和心、諧順心、悅美心、不瞋心、不動心、不濁心、無高下心、不望報心、報恩心、不諂心、不誑心、無險詖心，在每一個境界中讓心地轉換清淨。獲得了三十三天王的上勝身，能以方便令諸菩薩眷屬遠離貪欲，心存良善，自在滿足，不捨三寶，安住於佛法中。

第四是焰慧綻放中的菩薩，他把煩惱當薪材燒，讓熊熊慧焰照耀大地及同行眷屬。四地菩薩精進修四念處、四正勤、四神足、五根、五力、七覺分、八正道分三十七菩提分法。捨離身見，以方便智慧修道及助道分，成就忍、調柔、寂滅的善根。當他專注修行時，得不休息精進、不雜染精進、不退轉精進、廣大精進、無邊精進、熾然精進、無等等精進、無能壞精進、成熟一切眾生精進、善分別道非道精進。

可見多百千佛而供養，修精進波羅蜜帶動同事菩薩，雖獲得須夜摩天王的果報。然菩薩心界清淨，深心不失，悟解明利，善根增長，佛親護念，無量志樂。為完成菩薩道行願，身體力行善法，勤斷惡根，譬如金師治煉真金，在不斷淬鍊中，勇猛精進地面對更高難度的挑戰。

獲得最佳人緣獎的第五難勝地菩薩，為了要充分完成入世濟眾的工作，他必須要消除分別心，讓真諦跟俗諦在心裡不起分別。他用十種平等心去觀察，生起無分別智。安住在甚深的禪定中，對時間、事物用平等心去對待，無癡亂為難。

五地菩薩在願力的加持下，不畏生死，不住涅槃，得不住道行勝，能治斷菩薩入下乘涅槃障；於一切眾生慈愍不捨，積集福，智助道，精勤修習不息，出生善巧方便。菩薩為了度眾生，即使到了五地，還是要以出世的智慧，善巧運用五明學科：內明、因明、醫方明、工巧明、聲明，隨順世間度化眾生，這非常難能可貴，所以稱為「難勝地」。

五地菩薩明白四諦智及諸諦智，知有為虛妄，他發願要開示迷惑的眾生了解佛法的真理，而大悲轉增，修一切世間善法而利益眾生。先安頓其生活所需，解決身心、疾病等問題，潛移默化後，再講佛法。為避免眾生留戀世間五欲快樂，菩薩可以隨時展現受身，他們隨願受身，所以能展現大神通力，以種種方便行，教化眾生。

五地菩薩於諸佛所出家為法師，多做兜率天王，摧伏邪見、利益眾生。以四攝法——布施、愛語、利行、同事，用各種方便，不分遠近親疏，任何人需要幫忙時，都以平等心去協助。所以他與世間人的關係最密切，最具親和力，使眾生產生好感，慢慢獲得信任後，進一步讓他們更容易親近佛法。五地菩薩可穿梭在出世與入世的時空之間，自在無礙。

最受歡迎的第六現前地菩薩，他發願要將流轉生死的苦難眾生，從十二因緣的連環鎖鏈中拔度出來。他能以十種平等法，觀一切法自性清淨，克服了對染、淨二種差別的對待，隨順堪忍空性，無違真如本體，得升等入第六現前地。

以大悲為首而觀法無我，觀十二因緣的生滅，入第一義諦中。了知三界所有唯是一心，十二因緣皆依一心而立，而以十種逆順觀察緣起，入空、無相、無願三解脫門，得無分別最勝般若現前，不住有為，亦不住寂滅。六地菩薩對法界緣起智慧的實現，唯無分別的般若智慧，面對人間苦難才能不被牽扯。六地菩薩多修般若波羅蜜，多做善化天王，他了解一切現象都是緣起性空而成，教化子民去除我慢，深入緣起。於一切眾生中為首，為勝，乃至為一切智智依止者。

第七遠行地在菩薩群組裡是模範生。從初地歡喜願求佛法，二地離心垢，三地忍辱三昧得法光明，四地證道品，五地順世所作，六地入甚深般若門，七地起一切佛法成智功用分。到第七地，這中間經歷了第二個阿僧祇的長遠時間，才證得此無缺、無間、無相作意故名遠行地。離成佛又更接近了，這一地菩薩以即有修空不住空，是空中方便慧；即空涉有不住有，是有中殊勝行。成方便度二行雙行，是方便波羅蜜的增上之位。

修十種方便慧，起殊勝道，而升入第七地。雖入觀空智門，而勤集福德；念念中，常能具足十波羅蜜。入無量世界做無量佛事，圓滿一切菩提分法，入智慧自在行。八地以上由此智而成無功用行。從初地至七地所行諸行，皆捨離煩惱業，以回向無上菩提故，分得平等道故，但仍未名超煩惱行；從第七地入第八地，乘菩薩清淨乘，遊行世間，知煩惱過失，不為所染，乃名為超煩惱行，以得一切盡超過故。

七地菩薩乘於方便波羅蜜船，行於實際海，以願力故不證涅槃，以深淨心，成就身、語、意業；所有不善業道如來所訶皆已捨離，一切善業如來所讚，常善修行。世間所有經書、技術，皆自然而行，於念念中具足修習方便智力及一切菩提分法。顯自在天王報於三千大千世界中為大明師，以大方便，雖示現生死，而恆住涅槃；眷屬圍繞，而常樂遠離；雖以願力三界受生，但不為世法所染；雖常寂滅，以方便力而還熾然；雖隨順佛智，而示入聲聞、辟支佛地；雖得佛境界藏，而示住魔境界。此地菩薩無功用，無分別心成就圓滿，得無相解脫自在。

八風吹不動是第八不動地的境界。任由你稱、譏、毀、譽、利、衰、苦、樂如何地摧殘撩撥，不動地菩薩仍如如不動，因為他已不再有心、意、識分別想，一切動心、憶想分別悉皆止息，到了世間榮辱都無法撼動的地步。他就是家喻戶曉的觀自在菩薩，也是這個菩薩團隊重要的台柱。

得無生法忍，一切有相、一切功用、一切煩惱對八地來說都是不增不減的實相。捨一切功用行，得無功用法，身、口、意業念務皆息，住於報行。成無生法忍相土自在行，雖淨佛土，而無起作，三世間化得自在，應以何身得度者，即現何身而為說法，不受分段之身，受變易果，報行純熟，依此起行，任運而成。然由諸佛勸請當成就如來果德而精進不懈，所以菩薩不證入涅槃。

顯二禪大梵天王報，但菩薩以大方便善巧智所起無功用覺慧，觀一切智智所行境，於器世間觀三界差別智起智明，教化眾生。隨諸眾生信樂差別，而為現智正覺十身十自在。得畢竟無過失身、語、意業，隨智慧行，般若波羅蜜增上，大悲為首，方便善巧，常勤修習利益有情智，普住無邊差別世界，無時無刻倒駕慈航，尋聲救苦。

當掌聲響起時，最會說法的大法師出場了。第九善慧地菩薩，以無量智慧觀察善知十眾生稠林，了知眾生諸行差別，得最勝法、義、辭、樂說四無礙解辯才力，教化眾生口業成就，不只內具無礙智，又以美妙言說，無量名、句、字、辭陀羅尼自在力，得善巧無礙智，依如來妙法藏，做大法師，自在利他說法智成就法師行。

九地得應身果，成熟眾生果，總持法義果，能善達法器自在說法，以一音普遍十方，善巧說法，令各得歡喜，以利有情，故名善慧地。以無量善巧的勝妙智慧，去教化調伏，使各種眾生得到解脫。

力波羅蜜增上，顯二千世界主大梵天王，並且聽佛說法聞持正法不忘，守護如來法藏。以無量差別門為他演說，無量言音而興問難，菩薩於一念頃悉能領受，仍以圓音普為解釋，隨令心樂，各得解答，法喜充滿。

這一刻轉輪王太子受加冕的儀式就要開始了，第十法雲地隨順如來行而入一切智受職位，如受灌頂等同於佛。常觀察如來十力、無所畏、不共佛法，得一切種、一切智智受職位。得大法身，語法雲體自在，是大法器明法義，受如來十地大法智雲，故名法雲地。

菩薩依正覺實智義，有七種智大。依心自在，解脫大。依意定力，成就一切事，三昧大。隨利益眾生，意能偏持，口能偏隨，陀羅尼大。身及諸通，廣運堪能度生，神通大。悟入如來微細祕密法義，得化身三昧果，神通作業能為眾生廣做佛事。

法雲地是智波羅蜜多增上之位。寄顯一乘，顯摩醯首羅天王報，以大智慧教化眾生，以四攝法撫育眾生，如良師益友，善知識一般，循循善誘，教導成熟。

這十地階位的菩薩境界，是菩提薩埵們生命實踐過程中鐵一般的實證，他們在地球人生中，努力從布施、持戒、忍辱、精進、禪定、般若、方便、願行、力行、智行，從生死此岸到涅槃彼岸，留下生死印記。這是大菩薩修行菩提道，波羅蜜海上的一座燈塔，讓菩薩行者看到佛果不是遙不可及，而是一剎那間便可完成。

菩薩們展現慈悲和智慧，在每一地發光發熱，不停穿越時空尋找那些失落的華嚴族群，一起加入這個菩薩團隊，成為菩薩伴侶，為苦難的人們雪中送炭，拔苦與樂。在廣闊無垠的華藏世界，世代的菩薩們延續著無私、無我的奉獻。不違本誓，唯有莊嚴佛土，成就眾生的家業等著他們去完成。

大海的印記：賢度法師傳

看世界的方法 204

口述 —— 賢度法師
作者 —— 鄭栗兒

圖片提供 —— 華嚴蓮社
版型設計 —— 兒日
內頁排版 —— 華漢電腦排版有限公司

董事長 —— 林明燕
副董事長 —— 林良珀
藝術總監 —— 黃寶萍
執行顧問 —— 謝恩仁

社長 —— 許悔之
總編輯 —— 林煜幃
主編 —— 施彥如
美術編輯 —— 吳佳璘
企劃編輯 —— 魏于婷
行政助理 —— 陳芃妤

策略顧問 —— 黃惠美．郭旭原
郭思敏．郭孟君
顧問 —— 施昇輝．林子敬
謝恩仁．林志隆
法律顧問 —— 國際通商法律事務所
邵瓊慧律師

出版 —— 有鹿文化事業有限公司｜台北市大安區信義路三段106號10樓之4
T. 02-2700-8388｜F. 02-2700-8178｜www.uniqueroute.com
M. service@uniqueroute.com

製版印刷 —— 鴻霖印刷傳媒股份有限公司

總經銷 —— 紅螞蟻圖書有限公司｜台北市內湖區舊宗路二段121巷19號
T. 02-2795-3656｜F. 02-2795-4100｜www.e-redant.com

ISBN —— 978-626-95316-2-2
初版 —— 2021年12月
初版第二次印行 — 2022年1月20日
定價 —— 450元

大海的印記：賢度法師傳．賢度法師口述；鄭栗兒著 —初版．— 臺北市：有鹿文化事業有限公司，2021.12
面；17 × 23 公分 ——（看世界的方法；204）
ISBN 978-626-95316-2-2（平裝） 1. 釋賢度 2. 華嚴宗 3. 佛教傳記 229.63 …………110018036